저희 아들은 『**똑똑한 하루 독해**』를 푸는 동안에
정말 **멈출 수 없는 흥미로움과 재미**에 빠져 있었습니다.
'더 하고 싶어. 더 풀고 자면 안 돼?'라는 말을 많이 듣게 해 준 독해서예요.
정말 즐겁게 잘 풀어 준 교재라 저는 더할 나위 없이 좋았네요.
다시 한 번 더 정말 너무너무 감사드리고 『**똑똑한 하루 독해**』를 빨리 만나 보고 싶어요.

– 『똑똑한 하루 독해』 검토단 이은주(초등학교 3학년 학생 부모님)

#홈스쿨링
#혼자공부하기

똑똑한 하루 독해

Chunjae
Makes
Chunjae

▼

[똑똑한 하루 독해] 6단계 B

편집개발 이문태, 이재인, 김민숙, 김효진, 박지윤
디자인총괄 김희정
표지디자인 윤순미
내지디자인 박희춘, 임용준
제작 황성진, 조규영

발행일 2021년 11월 15일 2판 2024년 4월 1일 4쇄
발행인 (주)천재교육
주소 서울시 금천구 가산로9길 54
신고번호 제2001-000018호
고객센터 1577-0902

※ 정답 분실 시에는 천재교육 교재 홈페이지에서 내려받으세요.
※ KC 마크는 이 제품이 공통안전기준에 적합하였음을 의미합니다.
※ 주의
책 모서리에 다칠 수 있으니 주의하시기 바랍니다.
부주의로 인한 사고의 경우 책임지지 않습니다.
8세 미만의 어린이는 부모님의 관리가 필요합니다.

6단계 B 공부할 내용 한눈에 보기!

1주

2주

똑똑한 하루 독해를 함께 할 친구들을 소개합니다.

정진솔

유예리

유명한 탐정이 되고 싶은 진솔이! 같은 반 예리네 아버지인 유능한 탐정을 찾아가 도움을 받기로 했어요. 그런데 탐정이 되기 위해서는 사건을 이해하기 위한 독해력이 필요하대요.

✂ 자르는 선

공부했으면 빈칸에 체크(v)해 줘!

1일 8~17쪽	2일 18~23쪽	3일 24~29쪽	4일 30~35쪽
게임 속에 빠진 엄마를 구출하는 방법	아르키메데스의 발견	엄마 걱정	편의점 진열의 비밀

매주 1일에는 이번 주에 무엇을 배울지도 함께 살펴보자.

5일 36~41쪽

풍선 자동차 만들기

특강 42~49쪽

누구나 100점 테스트 + 창의·융합·코딩

2주

1일 50~59쪽

박씨전

한 주 끝! 다음 주도 열심히 하자!

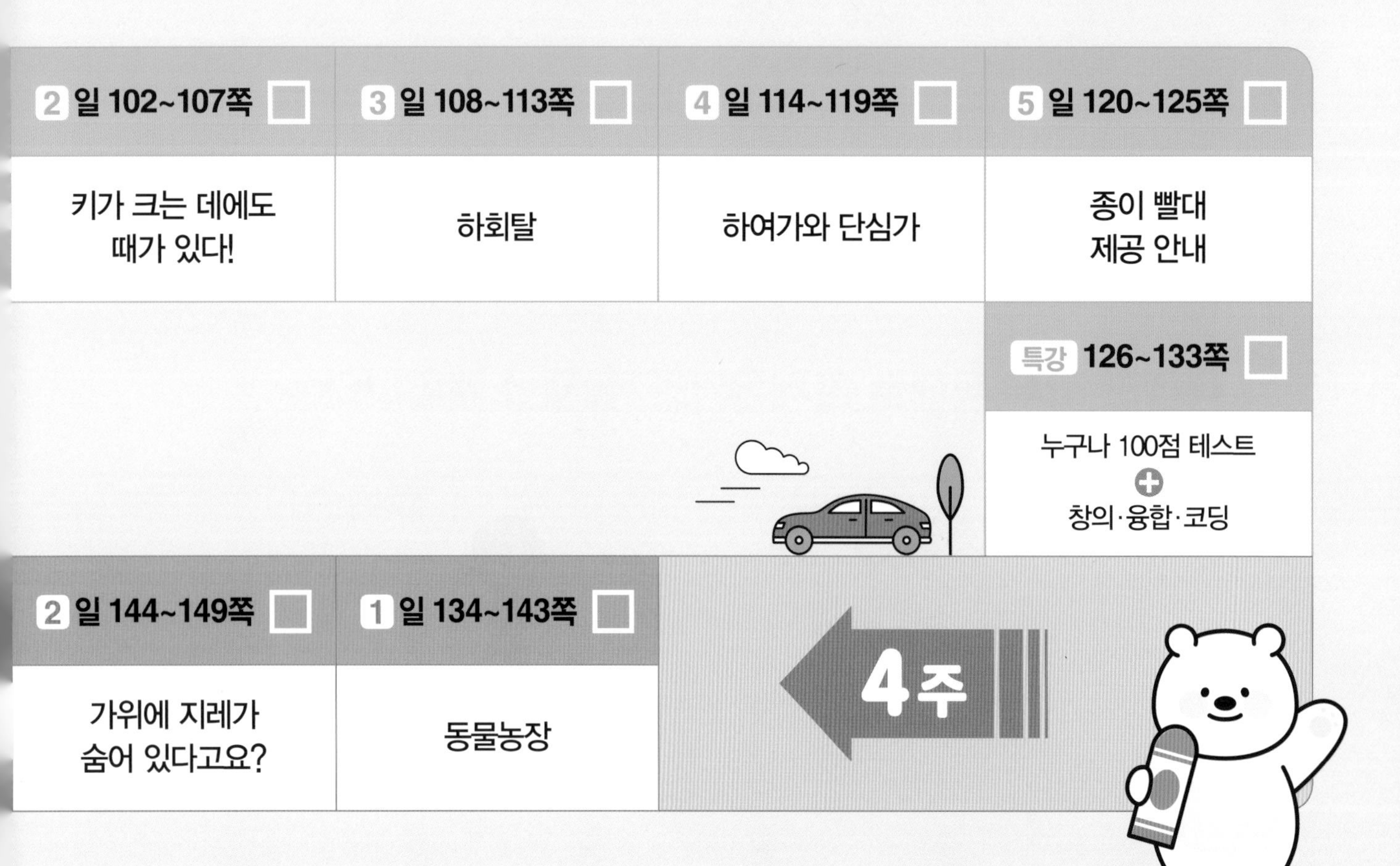

똑똑한 하루 독해

6단계 B 스케줄표

5일 78~83쪽 ☐	4일 72~77쪽 ☐	3일 66~71쪽 ☐	2일 60~65쪽 ☐
직업 체험관 관람 및 체험 방법	간디	꼴찌에게 보내는 갈채	마방진이란?

특강 84~91쪽 ☐
누구나 100점 테스트 + 창의·융합·코딩

1일 92~101쪽 ☐
난중일기

특강 168~175쪽 ☐	5일 162~167쪽 ☐	4일 156~161쪽 ☐	3일 150~155쪽 ☐
누구나 100점 테스트 + 창의·융합·코딩	교환·환불 안내	우리의 문을 함부로 열 수 없습니다	등대섬 아이들

3주

4주

중학 이 붙은 제재는 중학교 수준의 지문입니다.

엉뚱하지만 적극적인 진솔이가 똑소리 나는 예리와, 명탐정이지만 괴짜인 유능한 탐정, 그 조수인 탐봇과 함께 열심히 독해력을 키워 나가는 모습을 지켜봐 주세요.

독해? 독해!

독해가 뭐예요?

다들 '독해, 독해' 하는데 독해가 뭐예요?

글자를 읽기만 하는 게 아니라
진짜 이해하여 내 지식으로 만드는 것이 독해예요!

그럼 독해는 국어인가요?

독해는 그냥 국어만이 아니에요. 읽고 이해하는 독해가 안되면 수학 문제도 풀 수 없어요. 이처럼 독해는 모든 과목 공부를 잘하기 위한 기초랍니다. 독해를 통해 모든 과목의 지식을 내 것으로 만드는 방법을 배워야 해요.

글 읽고 문제만 계속 풀면 독해 공부가 되나요?

무조건 글 읽고 문제만 푼다고 독해 공부가 잘될 리 없지요. 「똑똑한 하루 독해」로 공부해 보세요. 먼저 어휘를 익히고 시나 이야기뿐만 아니라 수학, 사회, 과학, 역사, 예술은 물론 생활 속 글까지 다양하게 읽어 보세요. 그리고 어휘 심화 문제와 게임으로 실력을 다져요. 이해도 쑥쑥 되고 지루할 틈이 없겠지요?

이 책의 특징과 장점

똑똑한 하루 독해로
똑똑해지자!

Why? 똑똑한 하루 독해!

왜 똑똑한 하루 독해일까요?

1. **10분이면 하루 독해 끝!** 쉽고 재미있는 독해 공부!
2. **어휘로 준비하고 어휘로 마무리!** 어휘력 쑥! 독해력 쑥쑥!
3. **'문학·비문학·실생활' 알짜 지문!** 하루하루 다양하고 즐거운 독해!
4. **독해 최초 생활 속 독해, 생활 어휘, 생활 한자!** 생활 맞춤 실용 독해 완성!
5. **똑똑한 독해 게임으로 사고력 넓히기!** 창의·융합 독해력 팍팍!

한 주 동안 매일 공부할 글의 제목과 내용을 만화로 미리 살펴 보고, 한 주의 독해 속 어휘를 만화와 문제로 확인합니다.

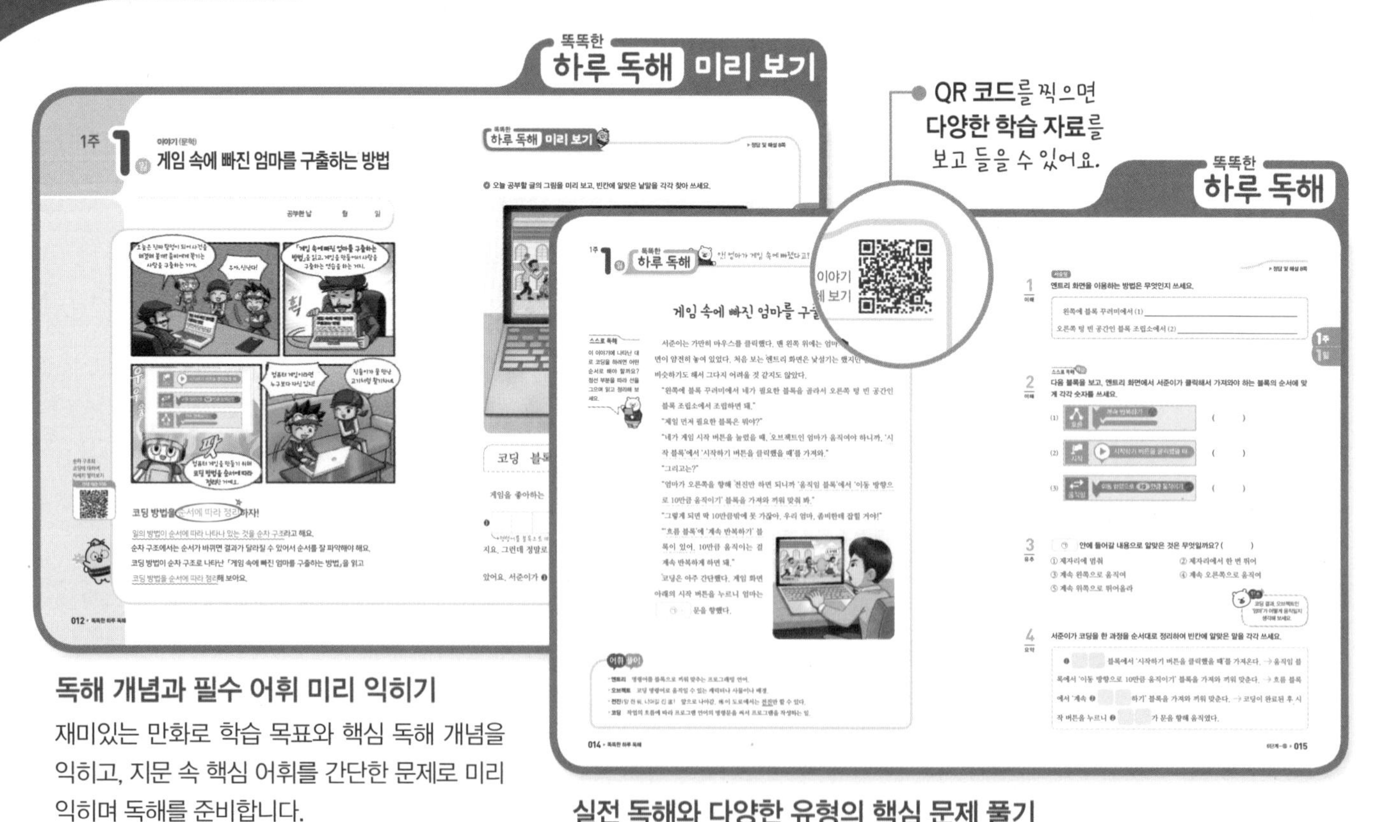

독해 개념과 필수 어휘 미리 익히기

재미있는 만화로 학습 목표와 핵심 독해 개념을 익히고, 지문 속 핵심 어휘를 간단한 문제로 미리 익히며 독해를 준비합니다.

실전 독해와 다양한 유형의 핵심 문제 풀기

여러 영역의 글을 읽고 다양한 유형의 문제로 독해를 완성합니다. 서술형 문제로 쓰기 연습을 해 보고, '스스로 독해 해결!' 문제로 자기 주도 학습 능력을 키웁니다.

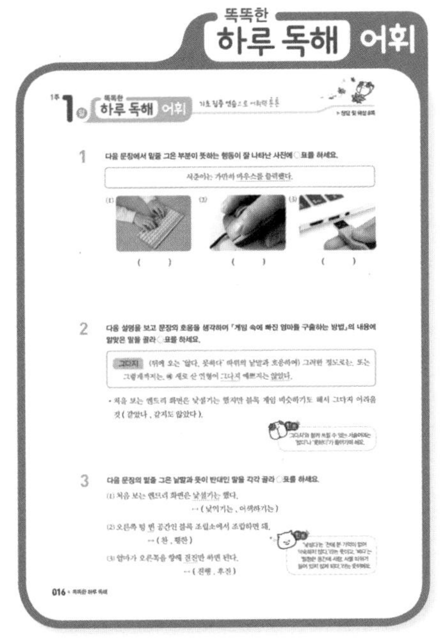

어휘 문제로 마무리하기

글에 쓰인 어휘를 문제로 다시 한번 확인하고 비슷한말, 반대말 등 관련 어휘 학습으로 어휘력을 넓힙니다.

게임으로 독해력 넓히기

재미있는 독해 게임으로 독해력을 넓히고 하루의 독해 학습을 마무리합니다.

주 마무리

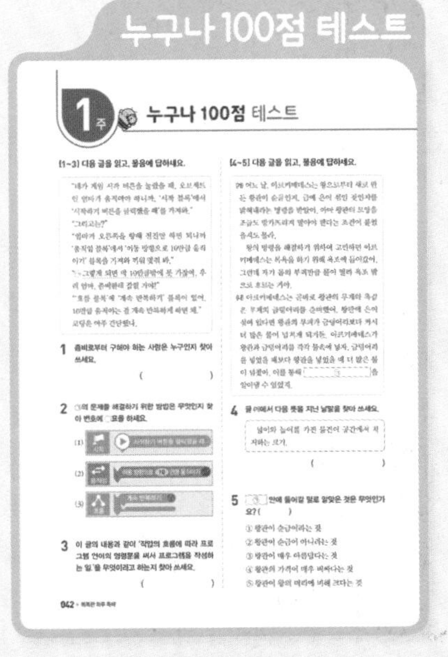

누구나 100점 테스트

한 주 동안 공부한 내용을 평가해 보며 독해 실력을 확인하고, 독해에 대한 자신감을 키웁니다.

주 특강 창의·융합·코딩

다양한 형식의 창의·융합·코딩 미션을 해결하며 한 주의 중요 어휘를 확인하고 다양한 배경지식을 넓힙니다.

친구들과 약속해요!

우리 같이 약속해요!

첫째, 하루하루 빠짐없이 꾸준히 공부하기!

둘째, 하루 독해 문제 끝까지 다 풀기!

셋째, 틀린 문제는 왜 틀렸는지 다시 한번 확인하기!

약속하는 사람 ____________

쉽고 재미있는

『똑똑한 하루 독해』로

독해 공부를 시작해 봐요.

똑 똑 한 하루 독해

1주

1주에는 무엇을 공부할까? ①

공부할 내용 

1일 게임 속에 빠진 엄마를 구출하는 방법
2일 아르키메데스의 발견
3일 엄마 걱정
4일 편의점 진열의 비밀
5일 풍선 자동차 만들기

1주

1주에는 무엇을 공부할까? ❷

1-1 다음 밑줄 그은 낱말의 뜻으로 알맞은 것에 ○표를 하세요.

컴퓨터와 스마트폰 사용의 증가로 디지털 환경이 만들어지면서 사용되는 정보의 양과 규모가 엄청나게 증가했어요.

(1) 양이나 수치가 늚. ( )

(2) 사물이나 현상의 크기나 범위. ( )

1-2 다음 밑줄 그은 낱말과 뜻이 반대인 낱말을 보기 에서 골라 쓰세요.

도시의 인구가 증가하면서 환경 오염이 심각해졌어요.

보기

규모 감소 진열

힌트

'증가'는 '양이나 수치가 늚.'이라는 뜻이므로 '양이나 수치가 줆.'이라는 뜻을 가진 낱말을 찾아보아요.

▶ 정답 및 해설 8쪽

2-1 다음 문장에 넣을 바른 낱말을 골라 ○표를 하세요.

고무풍선의 주둥이를 가위로 잘라 낸 다음, 고무풍선의 입구에 주름 빨대를 끼우고 셀로판테이프로 바람이 (새지 , 세지) 않도록 붙인다.

2-2 다음 중 밑줄 그은 낱말을 잘못 쓴 문장을 찾아 기호를 쓰세요.

㉮ 돈을 세서 물건의 값을 계산하였다.
㉯ 자루에서 새어 나온 쌀을 주워 담았다.
㉰ 많은 비가 내리자 지붕에서 물이 세기 시작했다.

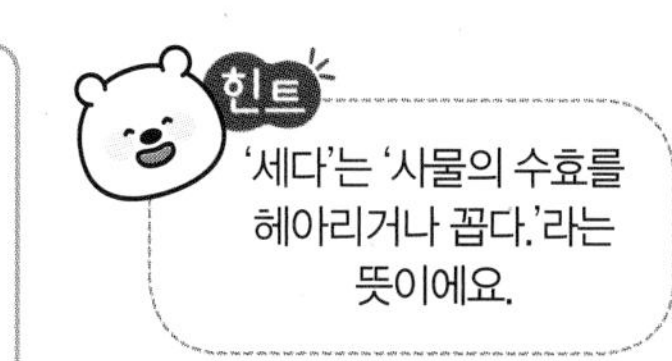

(　　　　　　　)

1주 1일

이야기 (문학)

게임 속에 빠진 엄마를 구출하는 방법

공부한 날　　　월　　　일

순차 구조와 코딩에 대하여 자세히 알아보기

코딩 방법을 순서에 따라 정리하자!

일의 방법이 순서에 따라 나타나 있는 것을 순차 구조라고 해요.
순차 구조에서는 순서가 바뀌면 결과가 달라질 수 있어서 순서를 잘 파악해야 해요.
코딩 방법이 순차 구조로 나타난 「게임 속에 빠진 엄마를 구출하는 방법」을 읽고
코딩 방법을 순서에 따라 정리해 보아요.

▶정답 및 해설 8쪽

● 오늘 공부할 글의 그림을 미리 보고, 빈칸에 알맞은 낱말을 각각 찾아 쓰세요.

코딩 블록 엔트리 마우스 오브젝트 프로젝트

게임을 좋아하는 서준이는 게임을 많이 한다고 엄마께 잔소리를 들었어요. 그래서 ❶ [ ][ ][ ] 로 게임을 만들어서 그 속에 엄마를 넣으면 딱일 것 같다고 생각했

↳명령어를 블록으로 끼워 맞추는 프로그래밍 언어.

지요. 그런데 정말로 엄마가 게임 속으로 들어가 ❷ [ ][ ][ ][ ] 가 되고 말

↳코딩 명령어로 움직일 수 있는 캐릭터나 사물이나 배경.

았어요. 서준이가 ❸ [ ][ ] 을 잘해서 엄마를 구출할 수 있을까요?

↳작업의 흐름에 따라 프로그램 언어의 명령문을 써서 프로그램을 작성하는 일.

이야기 전체 보기

게임 속에 빠진 엄마를 구출하는 방법

김학연

스스로 독해

이 이야기에 나타난 대로 코딩을 하려면 어떤 순서로 해야 할까요? 점선 부분을 따라 선을 그으며 읽고 정리해 보세요.

서준이는 가만히 마우스를 클릭했다. 맨 왼쪽 위에는 엄마가 보이는 게임 화면이 얌전히 놓여 있었다. 처음 보는 엔트리 화면은 낯설기는 했지만 블록 게임 비슷하기도 해서 그다지 어려울 것 같지도 않았다.

"왼쪽에 블록 꾸러미에서 네가 필요한 블록을 골라서 오른쪽 텅 빈 공간인 블록 조립소에서 조립하면 돼."

"제일 먼저 필요한 블록은 뭐야?"

"네가 게임 시작 버튼을 눌렀을 때, 오브젝트인 엄마가 움직여야 하니까, '시작 블록'에서 '시작하기 버튼을 클릭했을 때'를 가져와."

"그리고는?"

"엄마가 오른쪽을 향해 전진만 하면 되니까 '움직임 블록'에서 '이동 방향으로 10만큼 움직이기' 블록을 가져와 끼워 맞춰 봐."

"그렇게 되면 딱 10만큼밖에 못 가잖아. 우리 엄마, 좀비한테 잡힐 거야!"

"'흐름 블록'에 '계속 반복하기' 블록이 있어. 10만큼 움직이는 걸 계속 반복하게 하면 돼."

코딩은 아주 간단했다. 게임 화면 아래의 시작 버튼을 누르니 엄마는 ㉠ 문을 향했다.

어휘 풀이

- **엔트리** 명령어를 블록으로 끼워 맞추는 프로그래밍 언어.
- **오브젝트** 코딩 명령어로 움직일 수 있는 캐릭터나 사물이나 배경.
- **전진**|앞 전 前, 나아갈 진 進| 앞으로 나아감. 예 이 도로에서는 전진만 할 수 있다.
- **코딩** 작업의 흐름에 따라 프로그램 언어의 명령문을 써서 프로그램을 작성하는 일.

▶ 정답 및 해설 8쪽

서술형

1 이해

엔트리 화면을 이용하는 방법은 무엇인지 쓰세요.

왼쪽에 블록 꾸러미에서 (1) ______________________

오른쪽 텅 빈 공간인 블록 조립소에서 (2) ______________________

스스로 독해 해결!

2 이해

다음 블록을 보고, 엔트리 화면에서 서준이가 클릭해서 가져와야 하는 블록의 순서에 맞게 각각 숫자를 쓰세요.

(1) 흐름 | 계속 반복하기 (　　　)

(2) 시작 | 시작하기 버튼을 클릭했을 때 (　　　)

(3) 움직임 | 이동 방향으로 10 만큼 움직이기 (　　　)

3 유추

㉠ 안에 들어갈 내용으로 알맞은 것은 무엇일까요? (　　　　)

① 제자리에 멈춰　② 제자리에서 한 번 뛰어

③ 계속 왼쪽으로 움직여　④ 계속 오른쪽으로 움직여

⑤ 계속 위쪽으로 뛰어올라

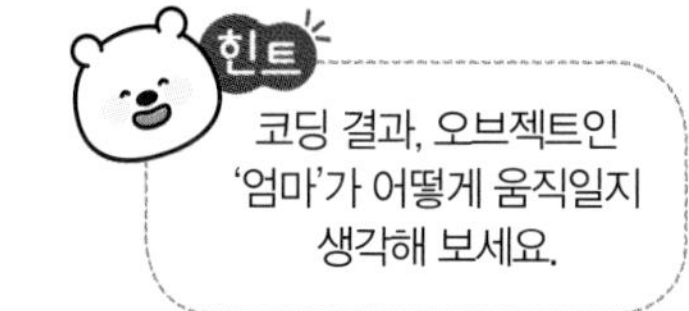

4 요약

서준이가 코딩을 한 과정을 순서대로 정리하여 빈칸에 알맞은 말을 각각 쓰세요.

❶ ☐☐ 블록에서 '시작하기 버튼을 클릭했을 때'를 가져온다. → 움직임 블록에서 '이동 방향으로 10만큼 움직이기' 블록을 가져와 끼워 맞춘다. → 흐름 블록에서 '계속 ❷ ☐☐ 하기' 블록을 가져와 끼워 맞춘다. → 코딩이 완료된 후 시작 버튼을 누르니 ❸ ☐☐ 가 문을 향해 움직였다.

▶정답 및 해설 8쪽

1 다음 문장에서 밑줄 그은 부분이 뜻하는 행동이 잘 나타난 사진에 ○표를 하세요.

서준이는 가만히 마우스를 클릭했다.

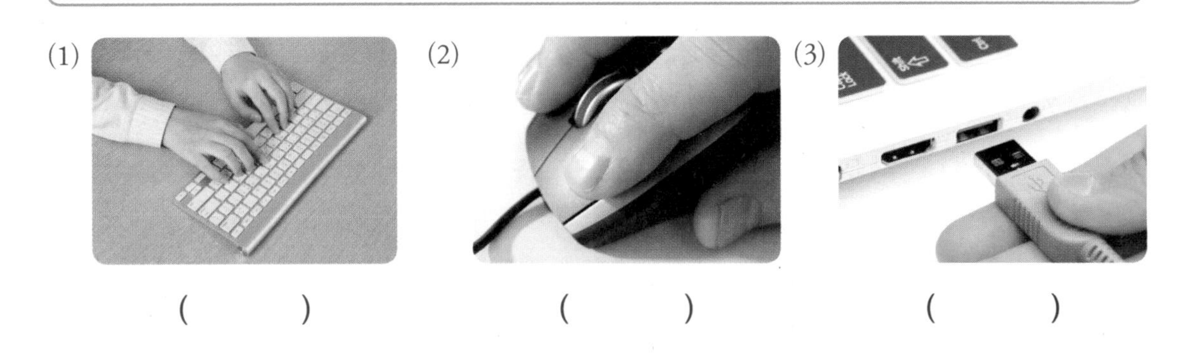

(1) (　　) (2) (　　) (3) (　　)

2 다음 설명을 보고 문장의 호응을 생각하며 「게임 속에 빠진 엄마를 구출하는 방법」의 내용에 알맞은 말을 골라 ○표를 하세요.

> **그다지** (뒤에 오는 '않다, 못하다' 따위의 낱말과 호응하여) 그러한 정도로는. 또는 그렇게까지는. 예 새로 산 인형이 그다지 예쁘지는 않았다.

• 처음 보는 엔트리 화면은 낯설기는 했지만 블록 게임 비슷하기도 해서 그다지 어려울 것 (같았다 , 같지도 않았다).

힌트 '그다지'와 함께 쓰일 수 있는 서술어에는 '않다'나 '못하다'가 들어가야 해요.

3 다음 문장의 밑줄 그은 낱말과 뜻이 반대인 말을 각각 골라 ○표를 하세요.

(1) 처음 보는 엔트리 화면은 낯설기는 했다.
↔ (낯익기는 , 어색하기는)

(2) 오른쪽 텅 빈 공간인 블록 조립소에서 조립하면 돼.
↔ (찬 , 휑한)

(3) 엄마가 오른쪽을 향해 전진만 하면 된다.
↔ (진행 , 후진)

힌트 '낯설다'는 '전에 본 기억이 없어 익숙하지 않다.'라는 뜻이고, '비다'는 '일정한 공간에 사람, 사물 따위가 들어 있지 않게 되다.'라는 뜻이에요.

재미있는 독해 게임으로 독해력 쑥쑥

▶정답 및 해설 8쪽

「게임 속에 빠진 엄마를 구출하는 방법」의 서준이는 엔트리로 또 다른 게임을 코딩하였어요. 다음 게임 화면에서 오브젝트가 목표를 이루려면 어떻게 코딩하면 될지 알맞은 것에 ○표를 하세요.

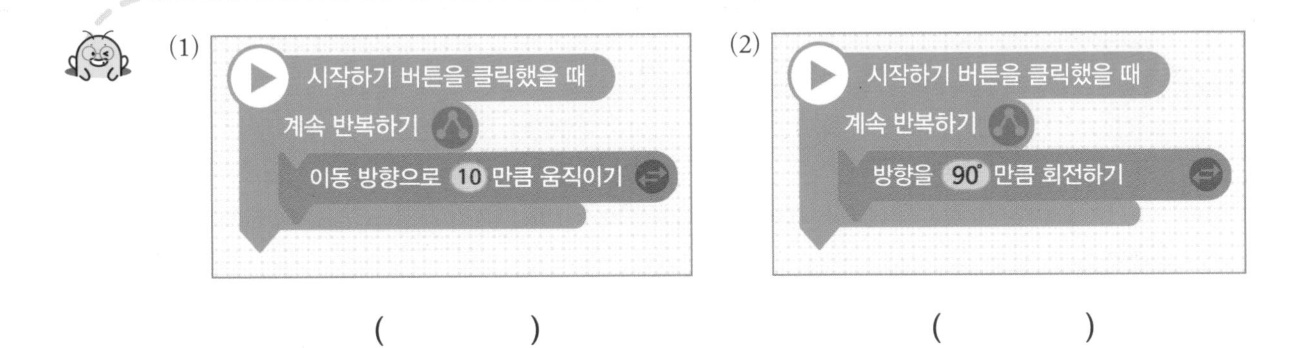

(1) (　　　　)　　(2) (　　　　)

「게임 속에 빠진 엄마를 구출하는 방법」의 내용을 떠올리며 **엔트리를 활용한 코딩**을 해 봅니다.

1주 2일

과학 (비문학)

아르키메데스의 발견

공부한 날 월 일

설명하는 글을
쓸 때 주의할 점
자세히 알아보기

천재 학습 백과

설명하는 글에 어울리는 표현인지 생각하며 읽자!

「아르키메데스의 발견」은 아르키메데스가 왕관이 순금인지 아닌지 알아낸 방법에 대해 설명하는 글이에요. 설명하는 글에서 '아마 ~ㄹ지도 모른다.'와 같은 추측하는 말이 있다면, 정확하지 않은 정보이니 주의해야 해요.
설명하는 글에 어울리지 않는 표현이 있는지 생각하며 읽어 보세요.

똑똑한 하루 독해 미리 보기

▶ 정답 및 해설 9쪽

◉ 오늘 공부할 글과 그림을 미리 보고, 알맞은 낱말을 각각 찾아 표시하세요.

왕의 명령을 해결하기 위하여 고민하던 아르키메데스는 목욕을 하기 위해 욕조에 들어갔어. 그런데 자기 몸의 부피만큼 물이 밀려 욕조 밖으로 흐르는 거야. 이것을 본 아르키메데스는 "유레카!"라고 외쳤어.

1. '윗사람이 아랫사람에게 무엇을 시킴. 또는 그런 내용.'이라는 뜻의 낱말을 찾아 ○표를 하세요.

2. '목욕을 할 수 있도록 물을 담는 용기.'라는 뜻의 낱말을 찾아 △표를 하세요.

3. '넓이와 높이를 가진 물건이 공간에서 차지하는 크기.'라는 뜻의 낱말을 찾아 □표를 하세요.

아르키메데스의 발견

스스로 독해
이 글에 쓰인 표현은 모두 설명하는 글에 잘 어울릴까요? ( ) 속의 말에 색칠하며 설명하는 글에 어울리는 표현인지 생각해 보세요.

어느 날, 아르키메데스는 왕으로부터 새로 만든 왕관이 순금인지, 금에 은이 섞인 것인지를 밝혀내라는 명령을 받았어. ㉠아마 왕관의 모양을 조금도 망가뜨리지 말아야 한다는 조건이 붙었을지도 몰라.

왕의 명령을 해결하기 위하여 고민하던 아르키메데스는 목욕을 하기 위해 욕조에 들어갔어. 그런데 자기 몸의 부피만큼 물이 밀려 욕조 밖으로 흐르는 거야. 이것을 본 아르키메데스는 "유레카!"라고 외쳤어. '유레카'는 그리스어로 '찾았다.' 또는 '알았다.' 등의 뜻을 가지고 있어.

아르키메데스는 곧바로 왕관의 무게와 똑같은 무게의 금덩어리를 준비했어. 왕관에 은이 섞여 있다면 왕관의 부피가 금덩어리보다 커서 더 많은 물이 넘치게 되거든. 아르키메데스가 왕관과 금덩어리를 각각 물속에 넣자, 금덩어리를 넣었을 때보다 왕관을 넣었을 때 더 많은 물이 넘쳤어. 이를 통해 왕관이 순금이 아니라는 것을 알아낼 수 있었지.

어휘 풀이

- **순금** | 순수할 순 純, 쇠 금 金 | 다른 금속이 섞이지 않은 순수한 금.
  ㉮ 아기의 첫 번째 생일을 기념하여 순금 반지를 선물하였다.
- **명령** | 목숨 명 命, 명령할 령 令 | 윗사람이 아랫사람에게 무엇을 시킴. 또는 그런 내용.
  ㉮ 할아버지의 명령을 들은 우리는 청소를 시작하였다.
- **욕조** | 목욕할 욕 浴, 구유 조 槽 | 목욕을 할 수 있도록 물을 담는 용기. ㉮ 목욕을 하기 위해 욕조에 물을 받았다.
- **부피** 넓이와 높이를 가진 물건이 공간에서 차지하는 크기. ㉮ 쉽게 나를 수 있도록 짐의 부피를 줄여 다시 포장하였다.

▶정답 및 해설 9쪽

스스로 독해 해결!

1 표현

㉠이 설명하는 글에 어울리는 표현인지 알맞게 평가한 친구를 찾아 이름에 ◯표를 하세요.

2 어휘

'유레카'는 그리스어로 어떤 뜻인지 알맞은 것을 두 가지 고르세요. (   )

① 찾았다.　　② 알았다.　　③ 외쳤다.

④ 친절했다.　　⑤ 모르겠다.

서술형

3 이해

아르키메데스가 왕관과 금덩어리를 각각 물속에 넣었을 때 어떤 일이 일어났는지 쓰세요.

______________________________ 더 많은 물이 넘쳤다.

힌트 왕관과 금덩어리를 각각 물속에 넣자, 왕관과 금덩어리 중 무엇을 넣었을 때 더 많은 물이 넘쳤는지 찾아보세요.

4 요약

이 글에서 아르키메데스가 한 일을 정리하여 빈칸에 알맞은 말을 각각 쓰세요.

왕에게 새로 만든 왕관이 ❶ ☐☐ 인지 은이 섞인 것인지를 밝혀내라는 명령을 받았다. → 목욕을 하다가 몸의 ❷ ☐☐ 만큼 물이 밀려 욕조 밖으로 흐르는 것을 보았다. → 무게가 똑같은 왕관과 금덩어리를 각각 물속에 넣었을 때 넘친 ❸ ☐ 의 양을 비교하여 왕관이 순금이 아니라는 것을 알아내었다.

▶정답 및 해설 9쪽

1

다음 설명을 잘 읽고 「아르키메데스의 발견」의 내용에 알맞은 낱말을 찾아 ◯표를 하세요.

섞은 두 가지 이상의 것을 한데 합친. ㉠ 쌀에 팥을 섞은 뒤 밥을 지었다.

섞인 두 가지 이상의 것이 한데 합쳐진. ㉠ 여러 가지 잡곡이 섞인 밥을 먹었다.

• 아르키메데스는 새로 만든 왕관이 순금인지, 금에 은이 (섞은 , 섞인) 것인지를 밝혀내라는 명령을 받았다.

2

다음 문장에서 밑줄 그은 낱말과 같은 뜻으로 쓰인 낱말을 골라 ◯표를 하세요.

아르키메데스는 곧바로 왕관의 무게와 똑같은 무게의 금덩어리를 준비했어.

(1) 이 길을 따라서 곧바로 가면 탑이 나온다.
( )

(2) 아이스크림은 쉽게 녹으니 사자마자 곧바로 먹어야 한다.
( )

힌트 '곧바로'에는 '바로 그 즉시에.'라는 뜻과 '굽거나 기울지 않고 곧은 방향으로.'라는 뜻이 있어요.

3

다음 낱말과 뜻이 비슷한 말을 보기 에서 각각 찾아 쓰세요.

보기

공중 면적 수중 중량

(1) 무게: 물건의 무거운 정도.
= ☐☐

(2) 물속: 물의 가운데.
= ☐☐

▶정답 및 해설 9쪽

◉ 「아르키메데스의 발견」에서 아르키메데스는 "유레카!"라고 외쳤다고 했어요. 다음 그림을 보고 "유레카!"라고 외칠 수 있는 상황으로 알맞은 것에 모두 ○표를 하세요.

새로운 것을 발견하거나 깨달음 따위를 얻어서 놀람, 기쁨, 만족감 따위를 큰 소리로 외치고 싶을 때 나처럼 "유레카!"라고 외칠 수 있어.

「아르키메데스의 발견」에서 아르키메데스가 외친 "유레카!"의 뜻을 생각하며 **'유레카'와 어울리는 상황**을 찾아봅니다.

1주 3일

동시 (문학)

엄마 걱정

공부한 날 월 일

직유법에 대해
자세히 알아보기

천재 학습 백과

시에서 비유한 대상을 파악하자!

'~처럼' 또는 '~ 같은'이라는 말로 직접 비유하는 방법을 직유법이라고 해요.

'~처럼' 또는 '~ 같은'으로 연결된 말을 잘 살펴보면

무엇을 무엇에 비유하였는지 찾을 수 있어요.

비유한 대상을 찾으며 동시 「엄마 걱정」을 읽어 보세요.

▶정답 및 해설 10쪽

● 오늘 공부할 글의 그림을 미리 보고, 빈칸에 알맞은 낱말을 보기 에서 각각 찾아 쓰세요.

보기

이고 　 먹고 　 고요히 　 눈시울

❶ 

물건을 머리 위에 얹고.

예 엄마께서 열무 삼십 단을 머리에 ○○ 시장에 가셨다.

❷ 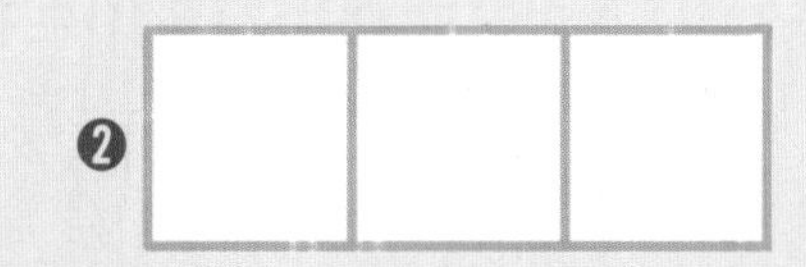

조용하고 잠잠하게.

예 금 간 창틈으로 ○○○ 빗소리가 들린다.

❸ 

눈언저리의 속눈썹이 난 곳.

예 내 유년의 윗목을 떠올리면 지금도 내 ○○○이 뜨거워진다.

'내'가 찬밥처럼 있다고?

동시 「엄마 걱정」 듣기

엄마 걱정

기형도

스스로 독해

이 시에서 직유법이 사용된 부분은 어디일까요? 점선 부분을 따라 선을 그으며 읽어 보고 비유한 대상을 찾아보세요.

열무 삼십 단을 이고
시장에 간 우리 엄마
안 오시네, 해는 시든 지 오래
나는 찬밥처럼 방에 담겨
아무리 천천히 숙제를 해도
엄마 안 오시네, 배춧잎 같은 발소리 타박타박
안 들리네, 어둡고 무서워
금 간 창틈으로 고요히 빗소리
빈방에 혼자 엎드려 훌쩍거리던

아주 먼 옛날
지금도 내 눈시울을 뜨겁게 하는
그 시절, 내 유년의 윗목

어휘 풀이

- **이고** 물건을 머리 위에 얹고. ㉠ 머리에 짐을 이고 걸어갔다.
- **고요히** 조용하고 잠잠하게. ㉠ 도서관 안에서 사람들이 고요히 책을 읽고 있었다.
- **눈시울** 눈언저리의 속눈썹이 난 곳. ㉠ 슬픈 영화를 본 사람들이 눈시울을 붉혔다.
- **유년**[어릴 유 幼, 해 년 年] 어린 나이나 때. 또는 어린 나이의 아이.
  ㉠ 유년 시절에 친구들과 놀던 기억이 떠오른다.
- **윗목** 온돌방에서 아궁이로부터 먼 쪽의 방바닥. 불길이 잘 닿지 않아 아랫목보다 상대적으로 차가운 쪽임.
  ㉠ 할머니께서 나에게 차가운 윗목에 앉지 말고 따뜻한 아랫목에 앉으라고 하셨다.

서술형

1 이해

이 시의 '내'가 걱정하는 것은 무엇인지 쓰세요.

열무 삼십 단을 이고 시장에 간 ______________________
______________________ 것을 걱정하였다.

스스로 독해 해결!

2 표현

이 시에서 비유한 대상은 무엇인지 다음 빈칸에 들어갈 말을 각각 선으로 이으세요.

(1) 방에 혼자 남겨진 '나'를 [   ]에 비유하였다. • —— • ① 찬밥

(2) 지친 엄마의 발소리를 [   ]에 비유하였다. • —— • ② 배춧잎

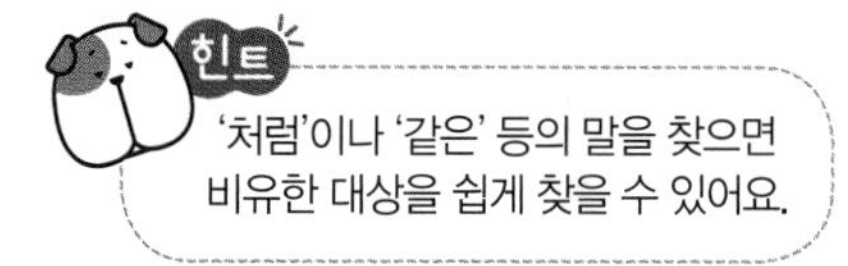

3 유추

이 시에서 짐작할 수 있는 '나'의 마음으로 알맞지 않은 것은 무엇일까요? (   )

① 무섭다. ② 외롭다. ③ 슬프다.
④ 설렌다. ⑤ 불안하다.

4 요약

이 시의 내용을 정리하여 빈칸에 알맞은 말을 각각 쓰세요.

시장에 간 ❶ [ ][ ] 께서 늦은 밤이 되었는데도 안 오신다. '내'가 아무리 천천히 숙제를 해도 엄마의 발소리가 안 들린다. 금 간 창틈으로 고요히 ❷ [ ][ ][ ] 가 들리고, '나'는 빈방에 혼자 엎드려 훌쩍거린다. 지금도 어린 시절의 이 기억이 차가운 ❸ [ ][ ] 처럼 느껴져 눈시울을 뜨겁게 한다.

▶ 정답 및 해설 10쪽

1 다음은 「엄마 걱정」에 나오는 무엇을 세는 말에 대한 설명입니다. 설명을 잘 보고, '단'을 알맞게 사용한 것에 ◯표를 하세요.

단 짚, 땔나무, 채소 따위의 묶음을 세는 말. (예) 열무 삼십 단

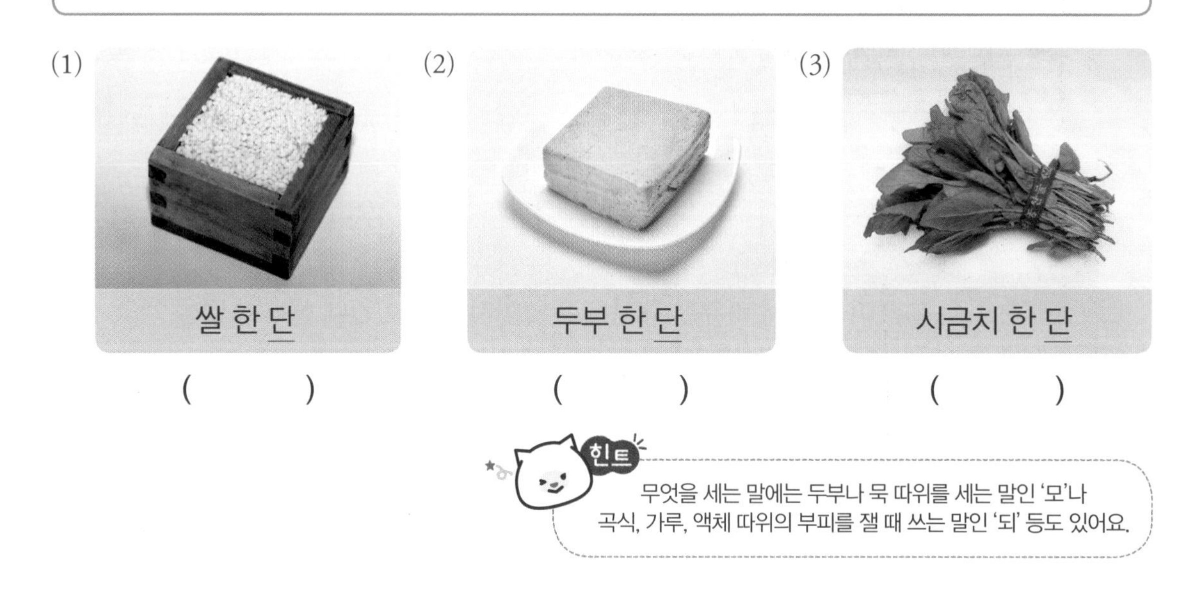

( ) ( ) ( )

힌트 무엇을 세는 말에는 두부나 묵 따위를 세는 말인 '모'나 곡식, 가루, 액체 따위의 부피를 잴 때 쓰는 말인 '되' 등도 있어요.

2 다음은 나이와 관련된 낱말입니다. 설명을 잘 보고, 그림에 알맞은 낱말을 각각 찾아 쓰세요.

노년 나이가 들어 늙은 때. 또는 늙은 나이.

유년 어린 나이나 때. 또는 어린 나이의 아이.

청년 신체적·정신적으로 한창 성장하거나 무르익은 시기에 있는 사람.

중년 마흔 살 안팎의 나이. 또는 그 나이의 사람. 청년과 노년의 중간을 이름.

유 년 → (1) → (2) → (3)

▶정답 및 해설 10쪽

◉ 「엄마 걱정」에서는 '나'의 외로웠던 유년 시절을 '윗목'이라고 표현했어요. 다음 온돌의 구조를 보고, 윗목과 아랫목의 다른 점은 무엇인지 알맞은 낱말에 각각 ◯표를 하세요.

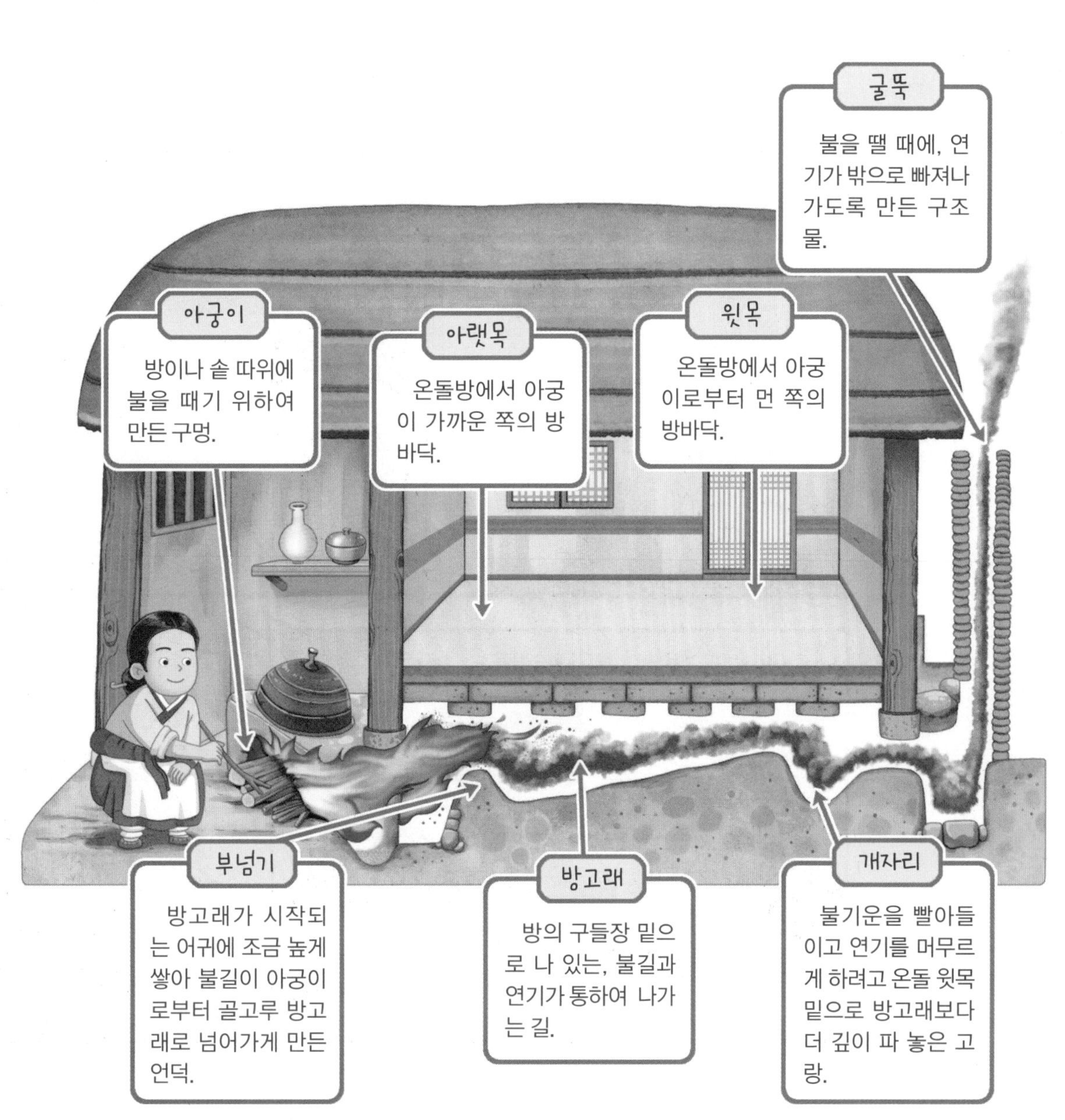

아랫목은 온돌방에서 아궁이 (1) (먼 , 가까운) 쪽의 방바닥이고, 윗목은 온돌방에서 아궁이로부터 (2) (먼 , 가까운) 쪽의 방바닥이니까 윗목은 아랫목보다 더 (3) (따뜻할 , 차가울) 거예요.

「엄마 걱정」의 내용을 생각하며 **온돌의 구조**를 알아보고, **윗목과 아랫목의 다른 점**을 정리해 봅니다.

1주 4일

경제 (비문학)

편의점 진열의 비밀

공부한 날 월 일

문단에 대해 자세히 알아보기

천재 학습 백과

중심 생각을 파악해라!

글을 잘 이해하려면 글을 통해 전하려고 하는 생각인 중심 생각을 파악해야 해요.

각 문단에서 중요한 내용을 정리하면 중심 생각을 파악할 수 있어요.

「편의점 진열의 비밀」을 읽고 중심 생각을 파악해 보아요.

▶정답 및 해설 11쪽

● 오늘 공부할 글의 그림을 미리 보고, 빈칸에 알맞은 낱말을 각각 찾아 쓰세요.

매장 극장 진열 상단

편의점에서 상품을 ❶ ☐☐ 하는 비밀이 따로 있대요. 그 비밀은 과연 무엇일까요? 편의점 ❷ ☐☐ 에서 눈에 잘 띄는 진열대 ❸ ☐☐ 에 어떤 상품을 진열해야 하는지 알아보아요.

(❶ 여러 사람에게 보이기 위하여 물건을 죽 벌여 놓음. ❷ 물건을 파는 장소. ❸ 위에 있는 단.)

빅 데이터에 대해 알아보기

편의점 진열의 비밀

스스로 독해

이 글의 중심 생각은 무엇일까요? 점선 부분을 따라 선을 그으며 읽고 중심 생각을 파악해 보세요.

편의점에서는 판매할 상품을 빅 데이터를 활용하여 진열한다고 해요. 그렇다면 빅 데이터는 도대체 무엇일까요?

컴퓨터와 스마트폰 사용의 증가로 디지털 환경이 만들어지면서 사용되는 정보의 양과 규모가 엄청나게 증가했어요. 또 빨리 만들어졌다 없어지기를 반복하고, 숫자 데이터, 문자 데이터, 동영상 등 그 형태도 다양해졌지요. 이와 같이 디지털 환경에서 생겨나는 대규모의 데이터를 빅 데이터라고 해요.

편의점은 대부분 좁은 매장에 많은 물건을 진열해야 하지요. 그래서 좁은 공간을 효과적으로 사용하고 손님들의 눈에 띄기 쉽게 상품을 진열하기 위해 빅 데이터를 활용한답니다. 성별, 나이, 편의점 위치에 따른 판매 데이터를 분석해서 언제 얼마나 팔리는지, 어디에 두어야 잘 팔리는지 알아낸 다음 상품 진열에 반영하는 것이지요.

예를 들어, 빅 데이터 분석 결과 초콜릿은 겨울철에 잘 팔리고 사탕은 봄과 여름에 잘 팔리다가 11월부터 덜 팔리는 것으로 나타났다고 한다면 날씨가 추워지면 (㉠)을 눈에 잘 띄는 진열대 상단에 놓고, 날씨가 더워지면 (㉡)을 진열대 상단에 놓는 식으로 변화를 주는 것이지요.

또 어린이가 많이 찾는 초등학교 근처에 있는 편의점의 경우, 어린이 눈높이에 맞는 아래쪽에 먹을거리나 장난감 등 어린이가 많이 찾는 상품을 진열하는 것이에요.

어휘 풀이

- **진열** | 늘어놓을 진 陳, 벌일 열 列 | 여러 사람에게 보이기 위하여 물건을 죽 벌여 놓음. 예 상품을 깔끔하게 진열했다.
- **규모** | 법 규 規, 법 모 模 | 사물이나 현상의 크기나 범위. 예 이것은 제법 규모가 큰 일이다.
- **매장** | 팔 매 賣, 마당 장 場 | 물건을 파는 장소. 예 화장품 매장은 1층에 있다.
- **상단** | 위 상 上, 구분 단 段 | 위에 있는 단. 예 구두는 신발장 상단에 넣어 두었다.

▶정답 및 해설 11쪽

1 이해

빅 데이터의 특징으로 알맞은 것을 모두 고르세요. (   )

① 형태가 한 가지이다.
② 과학 분야에서만 활용되고 있다.
③ 빨리 만들어졌다가 없어지기를 반복한다.
④ 숫자 데이터, 문자 데이터, 동영상 등이 있다.
⑤ 디지털 환경에서 생겨나는 대규모의 데이터이다.

서술형

2 이해

편의점에서 빅 데이터를 활용하는 까닭을 무엇이라고 하였는지 쓰세요.

좁은 공간을 효과적으로 사용하고 ________________________ ________________________ 상품을 진열하기 위해 빅 데이터를 활용하고 있다.

3 유추

㉠ 과 ㉡ 안에 들어갈 말로 알맞은 것에 각각 ○표를 하세요.

(1) ㉠: (껌 , 사탕 , 초콜릿)
(2) ㉡: (껌 , 사탕 , 초콜릿)

힌트
빅 데이터 분석 결과 겨울철에는 초콜릿이 잘 팔리고 봄과 여름에는 사탕이 잘 팔리는 것으로 나타났을 때 상품 진열을 어떻게 해야 할지 생각해 보아요.

스스로 독해 해결!

4 요약

이 글의 중심 생각을 정리하여 빈칸에 알맞은 말을 각각 쓰세요.

❶ [ ][ ][ ] 에서는 성별, 나이, 편의점 ❷ [ ][ ] 에 따른 판매 데이터를 분석해서 언제 얼마나 팔리는지, 어디에 두어야 잘 팔리는지 알아낸 다음 상품 진열에 반영하는 방법으로 ❸ [ ][ ][ ][ ] 를 활용하고 있다.

▶정답 및 해설 11쪽

1

다음 문장에서 밑줄 그은 낱말의 비슷한말이나 반대말을 보기 에서 각각 찾아 쓰세요.

보기

더 물건 인근 하단

(1) 편의점에서는 판매할 상품을 빅 데이터를 활용하여 진열한다고 해요.

비슷한말 (　　　)

(2) 초등학교 근처에 있는 편의점의 경우, 어린이 눈높이에 맞게 상품을 진열하고 있어요.

비슷한말 (　　　)

(3) 사탕은 봄과 여름에 잘 팔리다가 11월부터 덜 팔리는 것으로 나타났어요.

반대말 (　　　)

(4) 날씨가 추워지면 초콜릿을 눈에 잘 띄는 진열대 상단에 놓아요.

반대말 (　　　)

2

다음 사진을 보고 맞춤법에 맞게 쓴 낱말에 각각 ◯표를 하세요.

(1) (도넛 , 도너츠)

(2) (비스킷 , 비스켓)

(3) (초콜릿 , 초콜렛)

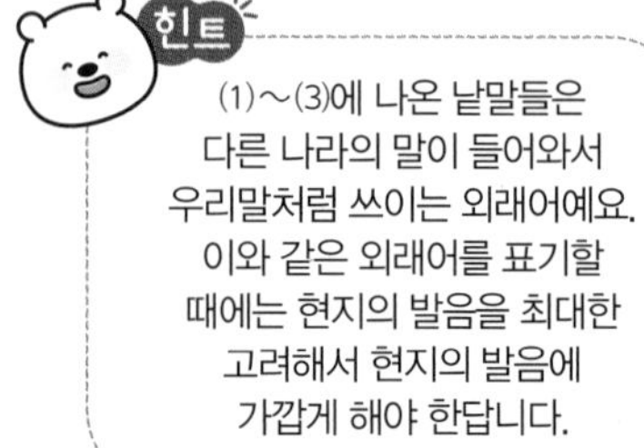

힌트

(1)~(3)에 나온 낱말들은 다른 나라의 말이 들어와서 우리말처럼 쓰이는 외래어예요. 이와 같은 외래어를 표기할 때에는 현지의 발음을 최대한 고려해서 현지의 발음에 가깝게 해야 한답니다.

▶정답 및 해설 11쪽

◉ 빅 데이터 분석 결과를 잘 읽고 편의점 주인이 판매할 상품으로 무엇을 주문해야 할지 네 가지를 골라 상품 밑에 V표를 하세요.

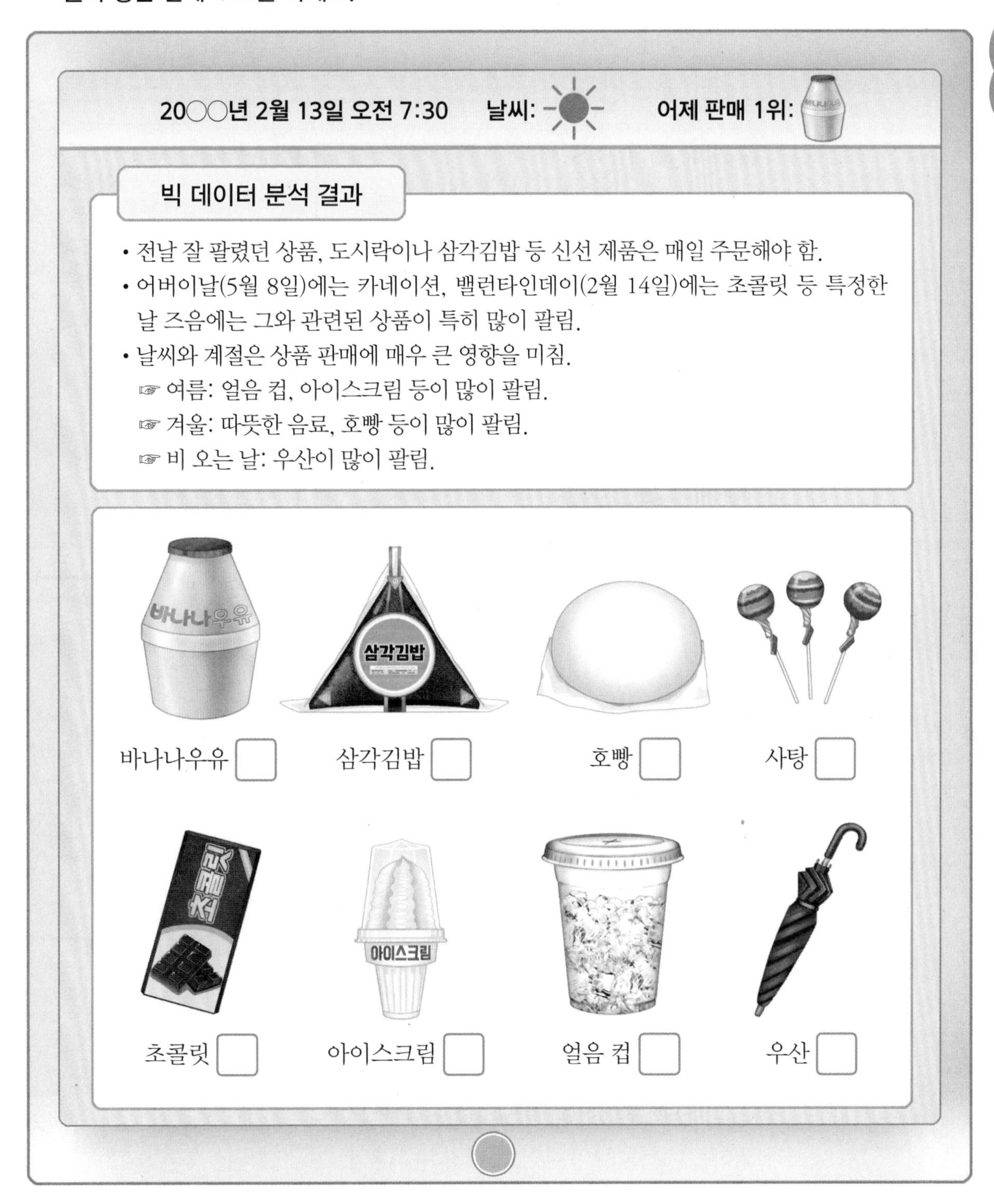

「편의점 진열의 비밀」의 내용을 떠올려 보고 빅 데이터의 분석 결과를 바탕으로 상품 주문을 어떻게 하면 좋을지 생각하며 **빅 데이터 활용 방법**을 알아봅니다.

1주 5일

생활 속 독해

풍선 자동차 만들기

공부한 날 월 일

그림이나 사진을 함께 살펴봐라!

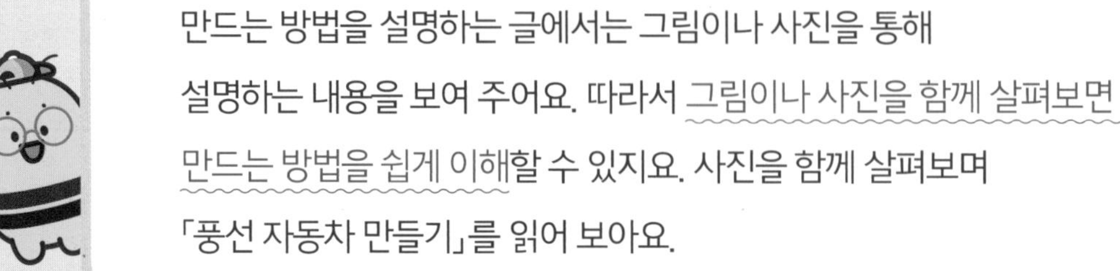

만드는 방법을 설명하는 글에서는 그림이나 사진을 통해 설명하는 내용을 보여 주어요. 따라서 그림이나 사진을 함께 살펴보면 만드는 방법을 쉽게 이해할 수 있지요. 사진을 함께 살펴보며 「풍선 자동차 만들기」를 읽어 보아요.

똑똑한
하루 독해 미리 보기

▶정답 및 해설 12쪽

● 오늘 공부할 글의 사진을 미리 보고, 빈칸에 알맞은 낱말을 보기 에서 각각 찾아 쓰세요.

보기

줄 축 간격 도막

❶ 

짧고 작은 덩어리.

예 빨대 2개를 각각 가위로 잘라 7센티미터 길이의 ○○ 2개를 만든다.

❷ 

공간적으로 벌어진 사이.

예 빨대 도막 2개를 우드록의 한쪽 면에 8센티미터 ○○으로 나란하게 붙인다.

❸ 

수레바퀴의 한가운데에 뚫린 구멍에 끼우는 긴 나무 막대나 쇠막대.

예 한쪽 끝에만 바퀴를 끼운 바퀴 ○을 우드록에 붙인 빨대에 통과시킨다.

풍선 자동차? 하늘을 나는 자동차인가?

풍선 자동차 만드는 과정 자세히 보기

스스로 독해

풍선 자동차는 어떻게 만들까요? ⬚ 안의 사진을 함께 살펴보며 풍선 자동차 만드는 방법을 알아보아요.

풍선 자동차 만들기

준비물 빨대 2개, 우드록, 바퀴 4개, 바퀴▾축 2개, 고무풍선, 주름 빨대, 자, 가위, 셀로판테이프

만드는 방법

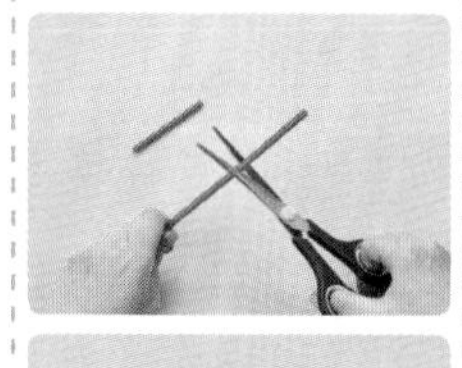

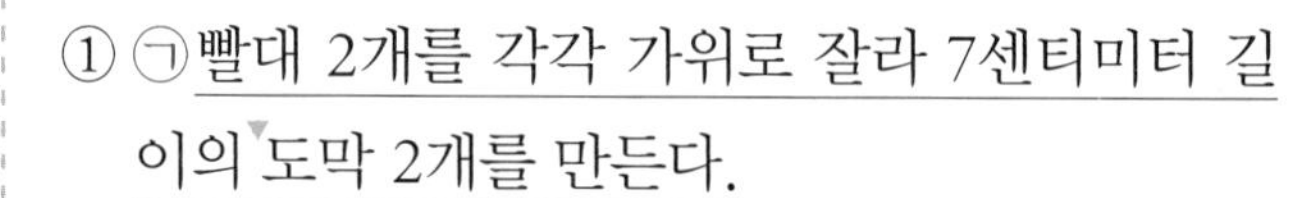

① ㉠빨대 2개를 각각 가위로 잘라 7센티미터 길이의▾도막 2개를 만든다.

② 빨대 도막 2개를 우드록의 한쪽 면에 8센티미터▾간격으로 나란하게 붙인다.

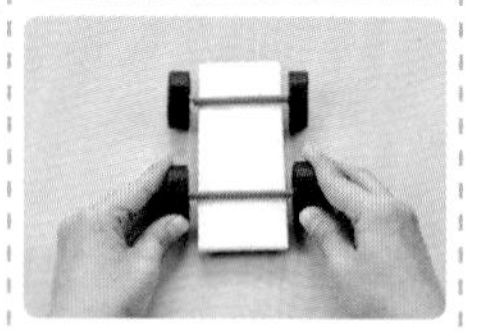

③ 한쪽 끝에만 바퀴를 끼운 바퀴 축을 우드록에 붙인 빨대에 통과시킨 다음, 바퀴 축의 다른 쪽 끝에도 바퀴를 끼운다.

㉮

④ 고무풍선의 주둥이를 가위로 잘라 낸 다음, 고무풍선의 입구에 주름 빨대를 끼우고 셀로판테이프로 바람이 새지 않도록 붙인다.

⑤ 고무풍선을 붙인 주름 빨대를 우드록의 윗면에 셀로판테이프로 붙여 풍선 자동차를 완성한다.

주의 사항

- 빨대 도막 2개를 우드록에 나란하게 붙여야 풍선 자동차가 똑바로 나아감.
- ㉡빨대 도막을 바퀴 축의 길이보다 길게 자르면 빨대 도막에 통과시킨 바퀴 축의 양쪽 끝에 바퀴를 끼울 수 없음.

어휘 풀이

- **축** | 굴대 축 軸 | 수레바퀴의 한가운데에 뚫린 구멍에 끼우는 긴 나무 막대나 쇠막대. ㉰ 바퀴 축이 빠졌다.
- **도막** 짧고 작은 덩어리. ㉰ 무를 작은 도막으로 썰어서 깍두기를 담갔다.
- **간격** | 사이 간 間, 막을 격 隔 | 공간적으로 벌어진 사이. ㉰ 앞사람과 간격을 좁혀서 줄을 서세요.

1 유추

㉠과 ㉡을 통해 짐작할 수 있는 사실로 알맞은 말에 ○표를 하세요.

• 준비한 바퀴 축은 7센티미터(이어야 , 보다 짧아야 , 보다 길어야) 한다.

스스로 독해 해결!

2 유추

㉮ 안에 들어갈 사진으로 알맞은 것은 무엇인가요? (   )

① ② ③  ④ 

힌트
주둥이를 잘라 낸 고무풍선 입구에 주름 빨대를 끼우고 셀로판테이프로 바람이 새지 않도록 붙이는 방법을 가장 잘 보여 줄 수 있는 사진을 골라 보세요.

서술형

3 이해

빨대 도막 2개를 우드록에 나란하게 붙여야 하는 까닭을 쓰세요.

빨대 도막 2개를 우드록에 나란하게 붙여야 ________________________

________________________ 때문이다.

4 요약

풍선 자동차 만드는 방법을 순서대로 정리하여 빈칸에 알맞은 말을 각각 쓰세요.

❶ ☐ 센티미터 길이의 빨대 도막 2개 만들기 → 빨대 도막 2개를 우드록의 한쪽 면에 8센티미터 간격으로 나란하게 붙이기 → ❷ ☐☐ 끼우기 → 주둥이를 잘라 낸 고무풍선 입구에 주름 빨대를 끼우고 ❸ ☐☐이 새지 않도록 붙이기 → 고무풍선을 붙인 주름 빨대를 우드록의 윗면에 붙이기

▶정답 및 해설 12쪽

1 다음 낱말의 뜻과 쓰임을 잘 보고 문장에 알맞은 낱말에 각각 ○표를 하세요.

붙이다 맞닿아 떨어지지 않게 하다. 예 색종이를 풀로 붙였다.	**부치다** 모자라거나 미치지 못하다. 예 새 일이 힘에 부치는지 병이 났다.

(1) 우표를 봉투에 꼭 (붙여서 , 부쳐서) 우체통에 넣어야 한다.

(2) 채민이는 아직도 현솔이에게는 축구 실력이 (붙인다 , 부친다).

(3) 나는 중국어도 공부하고 싶었지만 힘에 (붙여서 , 부쳐서) 그만두었다.

(4) 빨대 도막 2개를 우드록의 한쪽 면에 8센티미터 간격으로 나란하게 (붙인다 , 부친다).

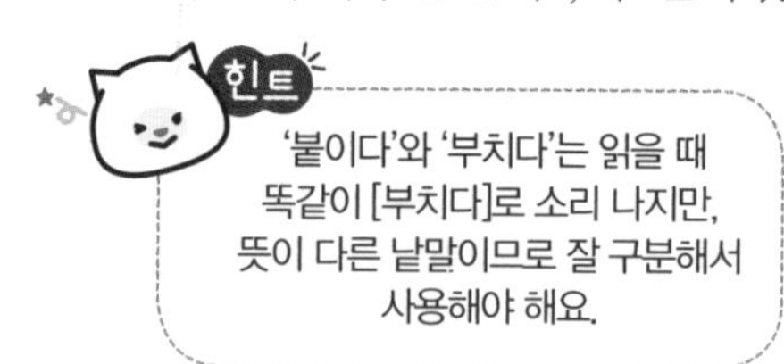

2 다음 설명을 잘 읽고 맞춤법에 맞게 쓴 낱말에 각각 ○표를 하세요.

윗-	'위'라는 뜻을 더하는 말로, 위와 아래가 반대되는 낱말이 모두 있는 경우에 붙여 씀.
웃-	'위'라는 뜻을 더하는 말로, 반대되는 말이 없는 경우에 붙여 씀.

(1) 내 친구 현솔이는 (윗마을 , 웃마을)에 산다.

(2) 알고 보니 (윗집 , 웃집)에 이사 온 사람은 우리 선생님이셨다.

(3) 이 물건은 (윗돈 , 웃돈)을 주고서라도 사야 할 만큼 구하기가 힘들다.

(4) 고무풍선을 붙인 주름 빨대를 우드록의 (윗면 , 웃면)에 셀로판테이프로 붙여 풍선 자동차를 완성한다.

◉ 버리가 풍선 자동차를 만들어 속력을 재 보았어요. 실험 사진을 보고 풍선 자동차의 속력으로 알맞은 것에 ○표를 하세요.

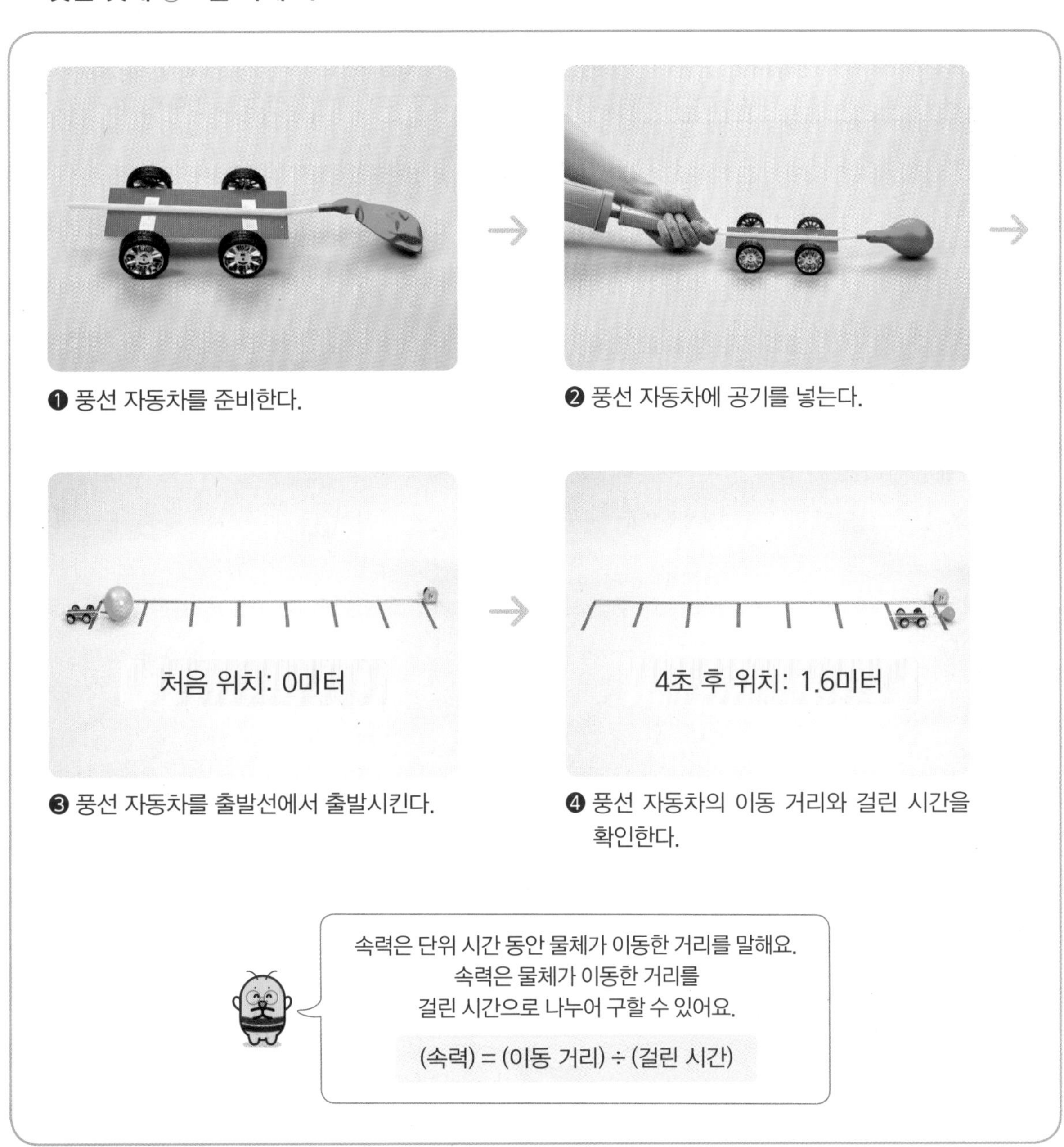

❶ 풍선 자동차를 준비한다.

❷ 풍선 자동차에 공기를 넣는다.

❸ 풍선 자동차를 출발선에서 출발시킨다.

❹ 풍선 자동차의 이동 거리와 걸린 시간을 확인한다.

풍선 자동차는 4초 후에 1.6미터 지점을 통과했어요. 따라서 풍선 자동차의 속력은 이동 거리 1.6미터를 걸린 시간인 4초로 나누어서 초속 (0.3 , 0.4 , 0.5)미터가 돼요.

「풍선 자동차 만들기」의 내용을 다시 한번 정리해 보고 **속력의 뜻**과 **속력을 구하는 방법**을 익혀 풍선 자동차의 속력을 구해 봅니다.

누구나 100점 테스트

[1~3] 다음 글을 읽고, 물음에 답하세요.

"네가 게임 시작 버튼을 눌렀을 때, 오브젝트인 엄마가 움직여야 하니까, '시작 블록'에서 '시작하기 버튼을 클릭했을 때'를 가져와."
"그리고는?"
"엄마가 오른쪽을 향해 전진만 하면 되니까 '움직임 블록'에서 '이동 방향으로 10만큼 움직이기' 블록을 가져와 끼워 맞춰 봐."
"㉠그렇게 되면 딱 10만큼밖에 못 가잖아. 우리 엄마, 좀비한테 잡힐 거야!"
"'흐름 블록'에 '계속 반복하기' 블록이 있어. 10만큼 움직이는 걸 계속 반복하게 하면 돼."
코딩은 아주 간단했다.

1 좀비로부터 구해야 하는 사람은 누구인지 찾아 쓰세요.

( )

2 ㉠의 문제를 해결하기 위한 방법은 무엇인지 찾아 번호에 ○표를 하세요.

(1) 

(2) 

(3) 

3 이 글의 내용과 같이 '작업의 흐름에 따라 프로그램 언어의 명령문을 써서 프로그램을 작성하는 일.'을 무엇이라고 하는지 찾아 쓰세요.

( )

[4~5] 다음 글을 읽고, 물음에 답하세요.

㈎ 어느 날, 아르키메데스는 왕으로부터 새로 만든 왕관이 순금인지, 금에 은이 섞인 것인지를 밝혀내라는 명령을 받았어. 아마 왕관의 모양을 조금도 망가뜨리지 말아야 한다는 조건이 붙었을지도 몰라.

왕의 명령을 해결하기 위하여 고민하던 아르키메데스는 목욕을 하기 위해 욕조에 들어갔어. 그런데 자기 몸의 부피만큼 물이 밀려 욕조 밖으로 흐르는 거야.

㈏ 아르키메데스는 곧바로 왕관의 무게와 똑같은 무게의 금덩어리를 준비했어. 왕관에 은이 섞여 있다면 왕관의 부피가 금덩어리보다 커서 더 많은 물이 넘치게 되거든. 아르키메데스가 왕관과 금덩어리를 각각 물속에 넣자, 금덩어리를 넣었을 때보다 왕관을 넣었을 때 더 많은 물이 넘쳤어. 이를 통해 [㉠]을 알아낼 수 있었지.

4 글 ㈎에서 다음 뜻을 지닌 낱말을 찾아 쓰세요.

넓이와 높이를 가진 물건이 공간에서 차지하는 크기.

( )

5 [㉠] 안에 들어갈 말로 알맞은 것은 무엇인가요? ( )

① 왕관이 순금이라는 것
② 왕관이 순금이 아니라는 것
③ 왕관이 매우 아름답다는 것
④ 왕관의 가격이 매우 비싸다는 것
⑤ 왕관이 왕의 머리에 비해 크다는 것

[6~7] 다음 시를 읽고, 물음에 답하세요.

열무 삼십 단을 이고
시장에 간 우리 엄마
안 오시네, 해는 시든 지 오래
나는 찬밥처럼 방에 담겨
아무리 천천히 숙제를 해도
엄마 안 오시네, 배춧잎 같은 발소리 타박타박
안 들리네, 어둡고 무서워
금 간 창틈으로 고요히 빗소리
빈방에 혼자 엎드려 훌쩍거리던

아주 먼 옛날
지금도 내 눈시울을 뜨겁게 하는
그 시절, 내 유년의 윗목

6 이 시에서 '내'가 처한 상황으로 알맞은 것에 ○표를 하세요.

(1) 날씨가 추워 덜덜 떨고 있다. ( )
(2) 숙제가 어려워 힘들어하고 있다. ( )
(3) 시장에 가신 엄마를 기다리고 있다. ( )

7 이 시에서 다음 대상을 비유한 표현은 무엇인가요? ( )

방에 혼자 남겨진 '나'

① 빈방 ② 윗목
③ 찬밥 ④ 배춧잎
⑤ 금 간 창틈

[8~9] 다음 글을 읽고, 물음에 답하세요.

편의점은 대부분 좁은 매장에 많은 물건을 진열해야 하지요. 그래서 좁은 공간을 효과적으로 사용하고 손님들의 눈에 띄기 쉽게 상품을 진열하기 위해 빅 데이터를 활용한답니다. 성별, 나이, 편의점 위치에 따른 판매 데이터를 분석해서 언제 얼마나 팔리는지, 어디에 두어야 잘 팔리는지 알아낸 다음 상품 진열에 반영하는 것이지요.

8 편의점에서 빅 데이터를 활용하는 까닭을 두 가지 고르세요. ( )

① 특정 상품만을 많이 팔려고
② 어린아이들을 많이 오게 하려고
③ 상품을 최대한 비싼 가격에 팔려고
④ 좁은 공간을 효과적으로 사용하려고
⑤ 손님들의 눈에 띄기 쉽게 상품을 진열하려고

9 다음 뜻을 지닌 낱말을 찾아 두 글자로 쓰세요.

여러 사람에게 보이기 위하여 물건을 죽 벌여 놓음.

( )

10 다음 글에 어울리는 사진을 골라 ○표를 하세요.

빨대 도막 2개를 우드록의 한쪽 면에 8센티미터 간격으로 나란하게 붙인다.

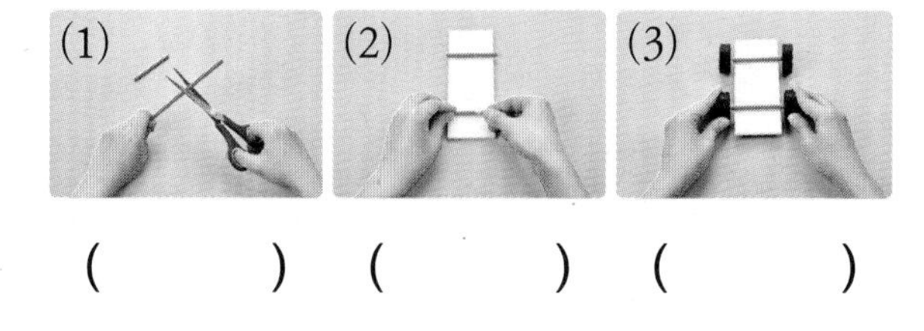

( ) ( ) ( )

창의

1 다음 만화를 읽고, 1주차에서 배운 낱말을 떠올려 어휘 퀴즈에 알맞은 낱말을 빈칸에 각각 쓰세요.

▶정답 및 해설 13쪽

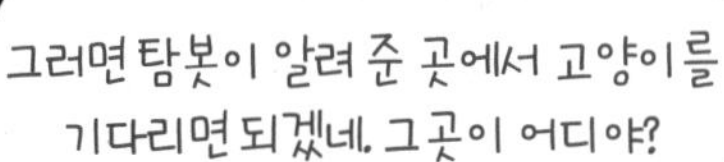

어휘 퀴즈

❶ '위험한 상태에서 구하여 냄.'을 뜻하는 말은? →

❷ '충분히 잘 이용함.'이라는 뜻으로, '빅 데이터를 상품 진열에 ○○하다.'의 빈칸에 들어갈 알맞은 말은? →

❸ '어떤 곳이나 때를 거쳐서 지나감.'을 뜻하는 말은? →

코딩

2 엄마가 일을 마치고 집으로 돌아가려고 해요. 아이에게 필요한 것을 모두 사서 집에 가려면 어떤 코딩 명령을 따라가야 하는지 골라 ○표를 하세요.

엄마, 집에 오시는 길에 문방구에서 각도기, 서점에서 책, 마트에서 우유를 사다 주세요.

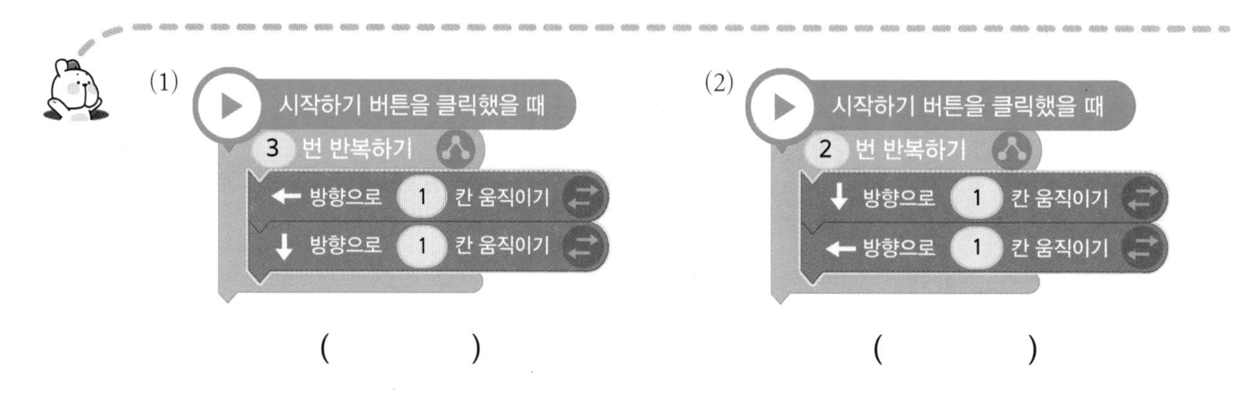

▶정답 및 해설 13쪽

융합

3 지우가 편의점에서 물건을 사고 계산하려고 해요. 지우가 산 물건의 값은 모두 얼마이고, 거스름돈으로 얼마를 받아야 하는지 빈칸에 각각 숫자로 쓰세요.

지우가 낸 돈		지우가 산 물건의 값		지우가 받아야 할 거스름돈
10,000원	−	(1) 원	=	(2) 원

창의

4 천재교육 유튜브 이벤트 광고를 보고 알맞은 낱말에 ○표를 하세요.

생활 어휘

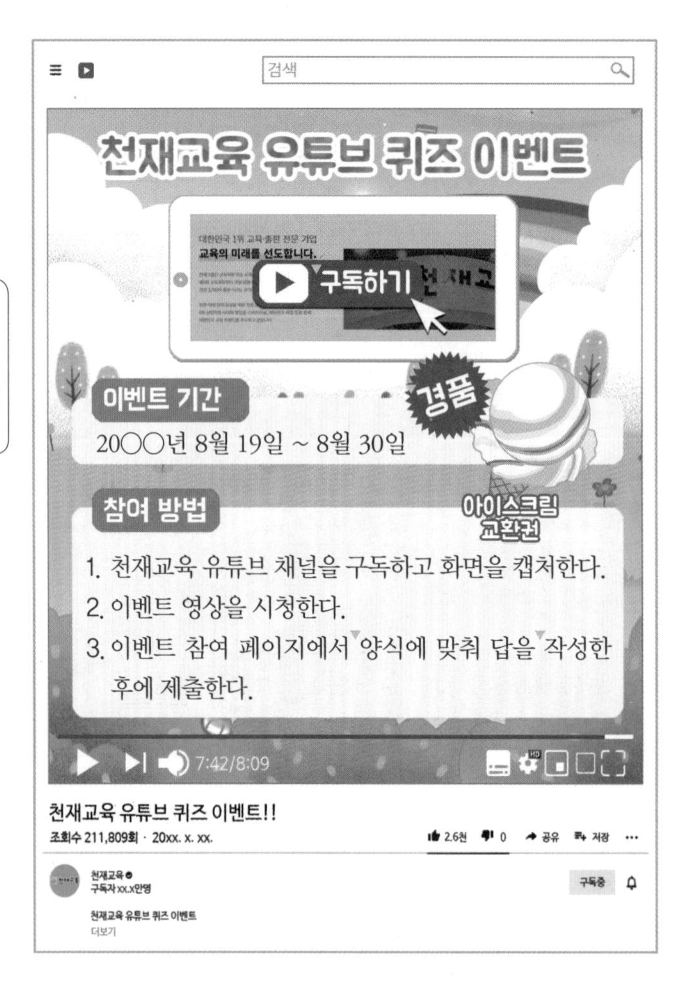

애들아! 양식에 맞춰 답을 작성한 후에 제출하라는 것은 (1)(일정한 , 자유로운) 형식에 맞춰 답을 써서 내라는 뜻이야. 경품이 아이스크림 교환권이라는 것은 참가한 사람 가운데 제비를 뽑아 (2)(벌 , 선물)로 아이스크림을 바꾸어 먹을 수 있는 증서를 준다는 거야.

어휘 풀이

- **구독** | 살 구 購, 읽을 독 讀 | 책이나 신문, 잡지 따위를 구입하여 읽음.
  ㉠ 요즘은 종이 신문을 구독하는 사람이 거의 없다.
- **경품** | 경치 경 景, 물건 품 品 | 어떤 모임에서 제비를 뽑거나 하여 참가한 사람에게 선물로 주는 물건.
  ㉠ 이번 행사에는 경품이 다양하게 걸려 있다.
- **양식** | 모양 양 樣, 법 식 式 | 일정한 모양이나 형식. ㉠ 견학 기록문을 양식에 맞게 써서 내일까지 내야 한다.
- **작성** | 지을 작 作, 이룰 성 成 | 서류, 원고 따위를 만듦. ㉠ 엄마께서는 휴일에도 서류를 작성하느라 바쁘셨다.

▶정답 및 해설 13쪽

창의 **5** 생활 한자

上(위 상) 자에 대해 알아보고, 다음 물음에 답하세요.

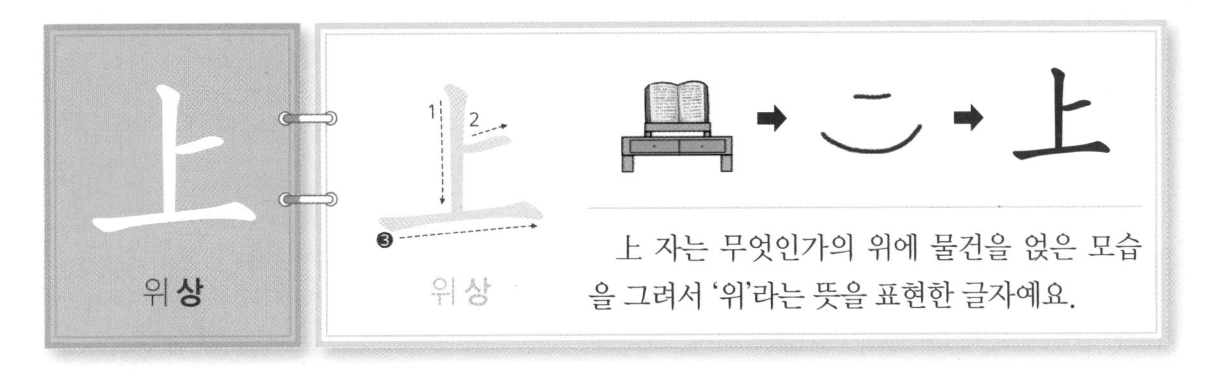

上 자는 무엇인가의 위에 물건을 얹은 모습을 그려서 '위'라는 뜻을 표현한 글자예요.

(1) 上 자가 들어간 낱말을 알아보고, 한자의 음을 쓰세요.

① 이 놀이 기구는 8세 以上 탈 수 있다.

이	

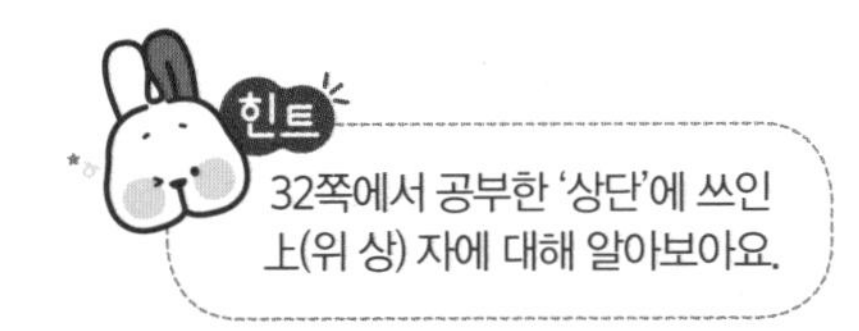

② 어머니께서는 물가 上昇으로 장보기가 더 힘들어졌다고 걱정하셨다.

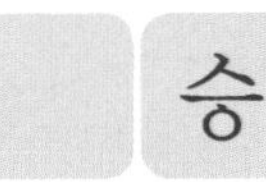

	승

(2) 한자 성어의 뜻을 알아보고, 빈칸에 알맞은 한자를 쓰세요.

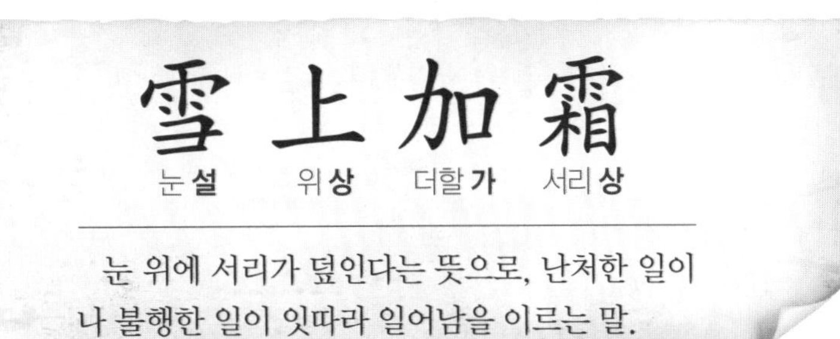

눈 위에 서리가 덮인다는 뜻으로, 난처한 일이나 불행한 일이 잇따라 일어남을 이르는 말.

• 눈보라가 몰아치더니 | 雪 | | 加 | 霜 | (설상가상)으로 날까지 어두워지기 시작했다.

2주

2주에는 무엇을 공부할까? ❶

1일 박씨전 2일 마방진이란? 3일 꼴찌에게 보내는 갈채

4일 간디 5일 직업 체험관 관람 및 체험 방법

영국 정부의 허가가 있어야 소금의 생산과 유통, 판매가 모두 가능했기 때문이지. 「간디」를 읽으면 더 자세히 알 수 있단다.

2주 2주에는 무엇을 공부할까? ❷

1-1 밑줄 그은 낱말의 뜻은 무엇인지 골라 ○표를 하세요.

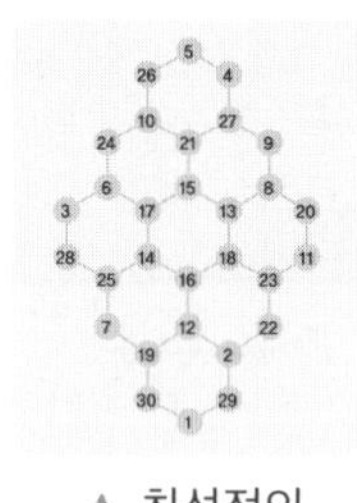
▲ 최석정의 '지수귀문도'

조선 시대 수학자 최석정은 '지수귀문도'라는 독특한 형태의 마방진을 만들어 내기도 했어. 1에서 30까지의 수를 한 번씩 사용하여 만든 마방진으로, 육각형 각에 쓰인 수의 합이 모두 같아. 육각형 9개로 만든 '지수귀문도'는 지금도 <u>풀기</u> 어렵다고 해.

(1) 모르거나 복잡한 문제 따위를 알아내거나 해결하기. (　　)

(2) 묶이거나 감기거나 얽히거나 합쳐진 것 따위를 그렇지 아니한 상태로 되게 하기. (　　)

1-2 밑줄 그은 '풀다'가 각각 어떤 뜻으로 쓰였는지 찾아 선으로 이으세요.

(1) 달리기를 하기 전에 신발 끈을 <u>풀고</u> 다시 매었다. •　　　• ① 모르거나 복잡한 문제 따위를 알아내거나 해결하고.

(2) 수학 문제를 얼른 <u>풀고</u> 놀이터에 나가서 놀았다. •　　　• ② 묶이거나 감기거나 얽히거나 합쳐진 것 따위를 그렇지 아니한 상태로 되게 하고.

힌트 '풀다'에 각각의 뜻을 넣어 생각해 보고 문장에 자연스럽게 어울리는 것을 찾아요.

▶정답 및 해설 14쪽

2-1 다음 문장에서 알맞은 낱말을 골라 ○표를 하세요.

정부가 매긴 소금에 대한 세금이 너무 높아서 가난한 사람들은 소금을 마음대로 사 먹을 수도 없었다. 간디는 이에 대한 반대로 시민 (복종 , 불복종) 운동을 선언하고 소금을 만들 수 있는 단디 해안까지 행진을 하기로 결심했다.

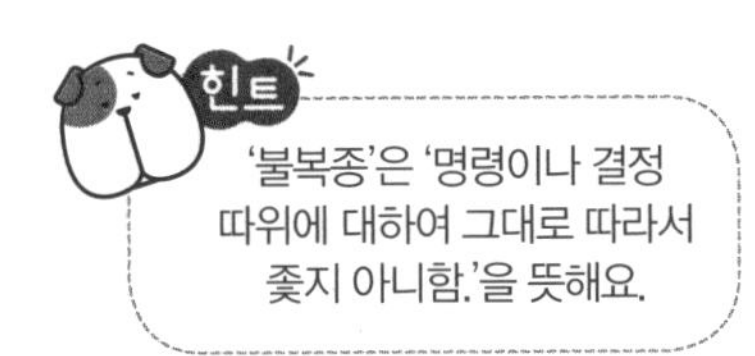

힌트
'불복종'은 '명령이나 결정 따위에 대하여 그대로 따라서 좇지 아니함.'을 뜻해요.

2-2 다음 뜻을 지닌 '불-'이 들어 있지 않은 낱말을 보기에서 찾아 쓰세요.

'불-'
(일부 명사 앞에 붙어) '아님, 아니함, 어긋남'의 뜻을 더하는 말.

보기
불가능 불공정 불개미 불복종

( )

2주 1 일

이야기 (문학)

박씨전

공부한 날 월 일

「박씨전」에 대해 자세히 알아보기

천재 학습 백과

시대적 배경이 드러나는 낱말을 찾아라!

전생에 죄가 많아 흉측한 허물을 쓰고 태어난 박씨가 주인공인 「박씨전」은 조선 시대를 배경으로 한 이야기예요. 일이 일어난 시대적 배경이 언제인지 드러나는 낱말을 찾아보며 이야기를 읽어 보아요.

▶정답 및 해설 14쪽

● 오늘 공부할 글과 그림을 미리 보고, 알맞은 낱말을 각각 찾아 표시하세요.

시백의 장원 급제로 경사 분위기가 넘치는 가운데, 박씨의 아버지 박 처사가 박씨를 찾아왔다. 박 처사가 딸의 얼굴을 어루만지며 말했다.

"이제 너도 허물을 벗을 때가 왔구나."

1 '축하할 만한 기쁜 일.'이라는 뜻의 낱말을 찾아 ○표를 하세요.

2 '가볍게 쓰다듬어 만지며.'라는 뜻의 낱말을 찾아 △표를 하세요.

3 '파충류, 곤충류 따위가 자라면서 벗는 껍질.'이라는 뜻의 낱말을 찾아 □표를 하세요.

'장원 급제'가 있었던 과거 제도에 대해 알아보기

박씨전

스스로 독해

이 글의 시대적 배경이 조선 시대임이 드러나는 낱말은 무엇일까요? ( ) 속 낱말을 색칠하며 글을 읽고 언제 일어난 일인지 살펴보아요.

시백의 장원 급제로 경사 분위기가 넘치는 가운데, 박씨의 아버지 박 처사가 박씨를 찾아왔다. 박 처사가 딸의 얼굴을 어루만지며 말했다.

"이제 너도 허물을 벗을 때가 왔구나."

박 처사와 박씨는 그동안 못다 한 이야기를 나누며 밤을 지새웠다. 박 처사는 새벽닭이 울자 금강산으로 떠났다.

㉠그날 아침 이상한 일이 일어났다. 오색 구름과 무지개가 피화당 둘레를 싸고 있었고, 향기가 진동을 하였으며, 꽃과 나무가 춤을 추듯 일렁였다.

계화가 세숫물을 들고 박씨의 방으로 들어왔다. 그런데 못생긴 박씨는 온데간데없고 아리따운 부인이 다소곳이 앉아 있는 것이었다. 계화는 호들갑을 떨며 안채로 건너가 사람들을 불렀다.

드디어 박씨가 ㉡말문을 열었다.

"제가 전생에 죄가 많아 흉측한 허물을 쓰고 태어났으나, 하늘이 제 처지를 불쌍히 여겨 제 원래의 모습을 찾아 준 것이니 너무 놀라지 마십시오."

박씨를 업신여겼던 사람들은 부끄러움에 고개를 들지 못했다. 시백은 박씨 앞에 꿇어앉아 그동안의 잘못을 뉘우쳤다. 허물을 벗은 박씨와 시백은 세상에 ㉢둘도 없는 사이좋은 부부가 되었다.

어휘 풀이

- **장원 급제** | 씩씩할 장 壯, 으뜸 원 元, 미칠 급 及, 차례 제 第 | 과거에서, 갑과의 첫째로 뽑히던 일.
- **경사** | 축하할 경 慶, 일 사 事 | 축하할 만한 기쁜 일. 예 아이가 태어나는 큰 경사가 났다.
- **허물** 파충류, 곤충류 따위가 자라면서 벗는 껍질. 예 애벌레는 허물을 벗고 나비가 되었다.
- **전생** | 앞 전 前, 날 생 生 | 이 세상에 태어나기 이전의 생애. 예 민수는 전생을 믿는다.
- **흉측** | 흉할 흉 凶, 헤아릴 측 測 | 모습이 보기에 기분이 나쁠 만큼 몹시 흉하고 거침.
  예 집을 떠난 선비가 삼 년 만에 흉측한 모습으로 나타났다.
- **업신여겼던** 교만한 마음에서 남을 낮추어 보거나 하찮게 여겼던. 예 그는 다른 사람을 업신여겼던 것을 후회하였다.

▶정답 및 해설 14쪽

스스로 독해 해결!

1 유추

다음 중 이 글의 시대적 배경이 드러나는 낱말은 무엇인가요? (　　　　)

① 경사　② 허물　③ 전생　④ 호들갑　⑤ 장원 급제

2 이해

서술형

㉠'그날 아침'에 일어난 이상한 일은 무엇인지 빈칸에 알맞은 말을 각각 찾아 쓰세요.

오색 구름과 무지개가 피화당 둘레를 싸고 있었고, (1)____________ 을 하였으며, (2)____________ 가 춤을 추듯 일렁였다.

3 표현

㉡과 ㉢의 뜻으로 알맞은 것을 찾아 각각 선으로 이으세요.

(1) ㉡ 말문을 열었다 •　　• ① 입을 열어 말을 시작하였다

(2) ㉢ 둘도 없는 •　　• ② 오직 하나뿐이고 더 이상은 없는

힌트
㉡과 ㉢은 둘 이상의 낱말이 어울려 원래의 뜻과는 다른 새로운 뜻으로 굳어져서 쓰이는 관용 표현이에요.

4 요약

이 글의 내용을 정리하여 빈칸에 알맞은 말을 각각 쓰세요.

박씨의 아버지가 찾아와 박씨에게 ❶ ☐☐ 을 벗을 때가 됐다고 했다. 박씨는 흉측한 허물을 벗고 아리따운 모습으로 변했다. 전생에 ❷ ☐ 가 많아 흉측한 허물을 쓰고 태어난 박씨를 하늘이 불쌍히 여겨 원래의 모습을 찾아 준 것이었다. 시백은 그동안의 잘못을 뉘우쳤고 박씨와 시백은 사이좋은 ❸ ☐☐ 가 되었다.

▶정답 및 해설 14쪽

1 다음 보기 와 같이 두 낱말이 합쳐지면서 'ㅅ'이 들어간 낱말의 짜임을 생각하며 빈칸에 알맞은 말을 각각 쓰세요.

보기

세숫물 = 세수 + ㅅ + 물

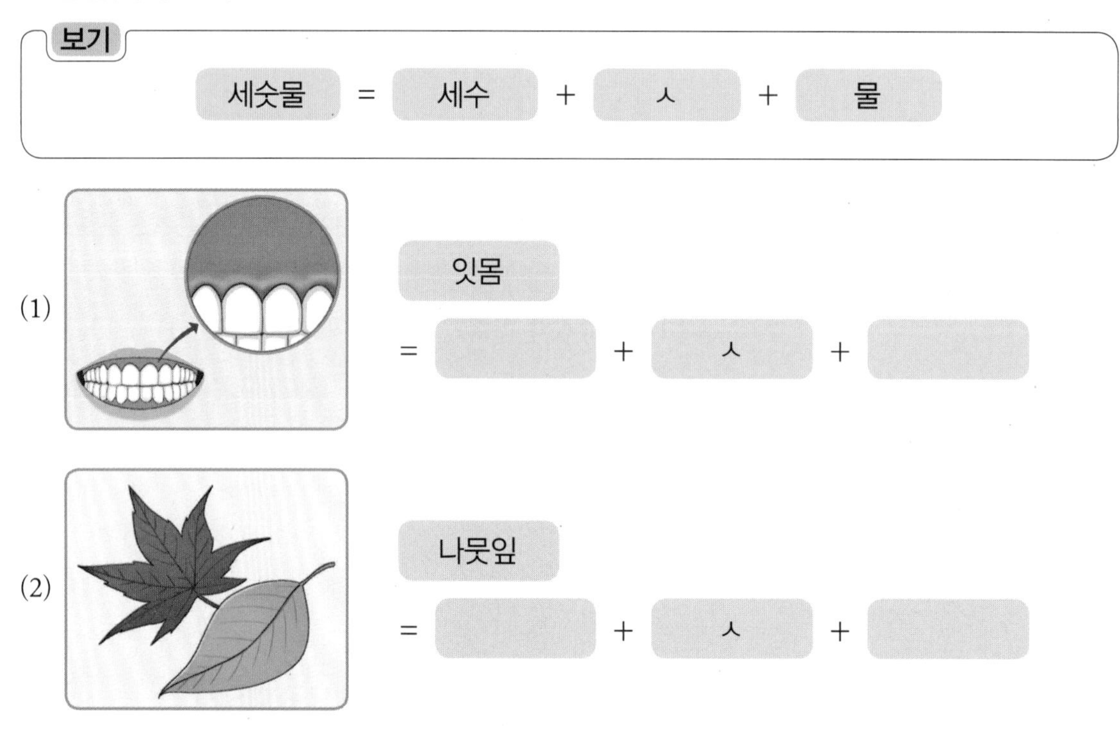

2 다음 각 문장에서 '싸고'라는 낱말이 보기 와 같은 뜻으로 쓰인 것을 골라 번호에 ○표를 하세요.

보기

싸고 어떤 물체나 사람의 주위를 둘러서 가리거나 막고.

(1) 이 음식점은 값도 싸고 맛도 좋았다.

(2) 아기는 기저귀에 똥을 싸고 돌아다녔다.

(3) 사람들이 드라마 촬영 현장을 싸고 둘러섰다.

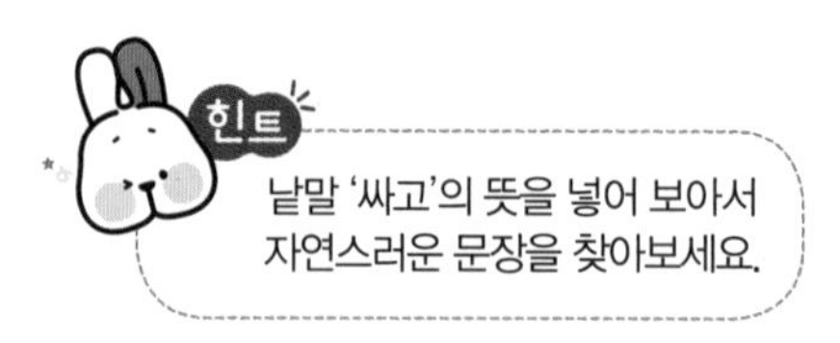

3 다음 뜻을 나타내는 낱말을 바르게 쓴 것에 ○표를 하세요.

고개를 조금 숙이고 온순한 태도로 말이 없이.

(1) 다소곳이 ( )   (2) 다소곳히 ( )

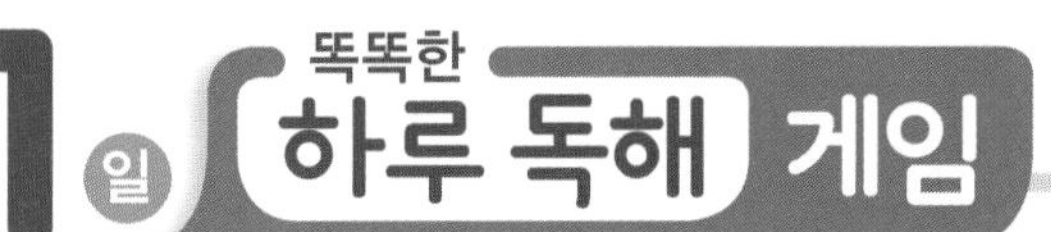

▶정답 및 해설 14쪽

「박씨전」은 병자호란 때 조선이 청나라에 패배한 것을 박씨가 도술을 부려 조선이 승리한 것으로 바꾸어 쓴 이야기예요. 청나라에 가족을 잃고 재물을 빼앗긴 백성들의 억울한 마음을 달래기 위하여 쓴 것이지요. 다음 만화를 보고, 알맞은 말에 ○표를 하세요.

청나라로 이름을 바꾼 후금이 1636년에 조선을 침입한 일을 (인조반정 , 병자호란)이라고 해요.

만화를 통해 「박씨전」의 배경이 되는 **역사적 사건**에 대해 좀 더 자세히 알아봅니다.

수학 (비문학)

마방진이란?

공부한 날 월 일

자세히 읽기
방법에 대해
자세히 알아보기

천재 학습 백과

자세히 읽기 방법으로 글을 읽어라!

글을 자세히 읽으려면 먼저 필요한 내용을 찾으며 꼼꼼히 읽어요.
중요한 내용이나 그것을 뒷받침하는 내용에 밑줄을 그으며 읽으면
더욱 자세히 읽을 수 있답니다.
그러면 마방진 놀이에 대해 설명하는 「마방진이란?」을 자세히 읽어 볼까요?

▶정답 및 해설 15쪽

◉ 오늘 공부할 글의 그림을 미리 보고, 빈칸에 알맞은 낱말을 보기 에서 각각 찾아 쓰세요.

보기
상인 등지 강기슭 점성술 대각선

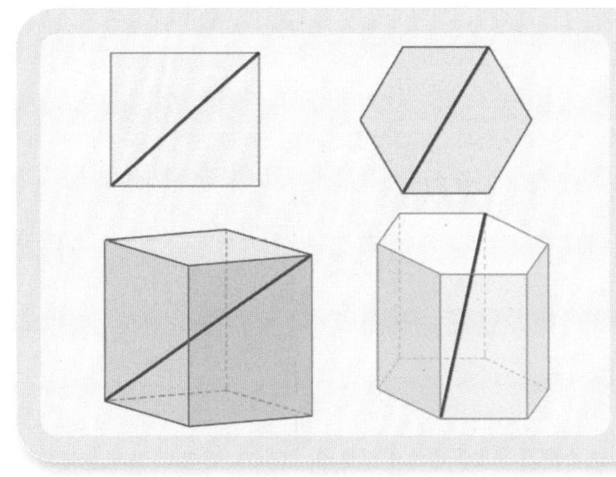

❶ 

다각형에서 서로 이웃하지 않는 두 꼭짓점을 잇는 선분. 또는 다면체에서 같은 면 위에 있지 않는 꼭짓점을 잇는 선분.

㉠ 가로, 세로, ○○○의 합이 모두 같다.

❷ 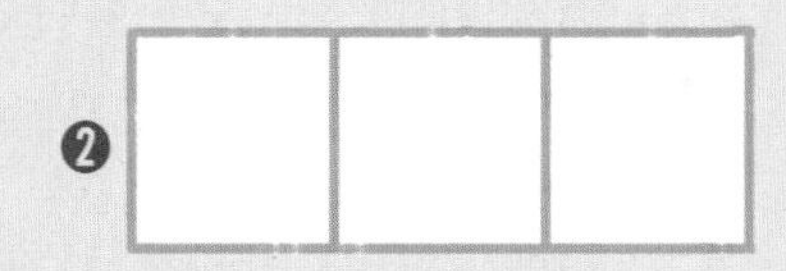

강물에 잇닿은 가장자리의 땅.

㉠ 거북 한 마리가 ○○○으로 올라왔다.

❸ 

장사를 직업으로 하는 사람.

㉠ 마방진은 페르시아와 아라비아의 ○○들에 의해 다른 곳으로 전해졌다.

2주 2일

어떻게 더해도 항상 같은 수가 나온다고?

마방진에 대해
더 알아보기

마방진이란?

스스로 독해

마방진이란 어떤 놀이이고 어떻게 생겨나서 어떻게 전해졌을까요? 점선 부분을 따라 선을 그으며 자세히 읽어 보아요.

정사각형의 빈칸에 숫자를 넣어서 가로, 세로, 대각선의 합이 모두 같게 만드는 놀이를 마방진이라고 한단다.

지금으로부터 약 4,000년 전 중국 하나라 우왕 시절에 낙수라는 강에서 생긴 일이야. 거북 한 마리가 강기슭으로 올라왔는데 신기하게도 거북의 등딱지에 1부터 9까지의 수가 점으로 찍힌 그림이 새겨져 있었대. 그런데 놀랍게도 이 점의 개수는 어느 방향에서 더해도 15가 되고 있었지. 당시 사람들은 이 무늬를 매우 귀하고 신기하게 여겨 왕에게 바쳤단다. 여기에서 시작된 놀이가 바로 마방진이야.

그 후 마방진은 페르시아와 아라비아의 상인들에 의해 서아시아, 남아시아, 유럽 등지로 전해졌다는 이야기가 있어. 또한 당시의 유럽 사람들은 마방진을 신비롭게 여겨서 점성술의 연구 대상으로 삼았어. 중국에서는 귀신을 쫓기 위해서 마방진을 사용했단다.

우리나라에서도 마방진을 찾아볼 수 있어. 조선 시대 수학자 최석정은 '지수귀문도'라는 독특한 형태의 마방진을 만들어 내기도 했어. 1에서 30까지의 수를 한 번씩 사용하여 만든 마방진으로, 육각형 각에 쓰인 수의 합이 모두 같아. 육각형 9개로 만든 '지수귀문도'는 지금도 풀기 어렵다고 해.

▲ 최석정의 '지수귀문도'

어휘 풀이

- **대각선** | 대답할 대 對, 뿔 각 角, 선 선 線 | 다각형에서 서로 이웃하지 않는 두 꼭짓점을 잇는 선분. 또는 다면체에서 같은 면 위에 있지 않는 꼭짓점을 잇는 선분.
- **강** | 강 강 江 | **기슭** 강물에 잇닿은 가장자리의 땅. ㊀ 걷다 보니 어느덧 강기슭에 다다랐다.
- **상인** | 장사 상 商, 사람 인 人 | 장사를 직업으로 하는 사람. ㊀ 시장은 상인과 손님들로 가득했다.
- **점성술** | 차지할 점 占, 별 성 星, 꾀 술 術 | 별의 빛이나 위치, 움직임 따위를 보고 앞으로의 일을 점치는 것. ㊀ 점성술로 오늘의 운세를 보았다.

▶정답 및 해설 15쪽

1 유추

다음 중 마방진 놀이로 알맞은 것은 무엇인가요? (　　　　)

① 

② 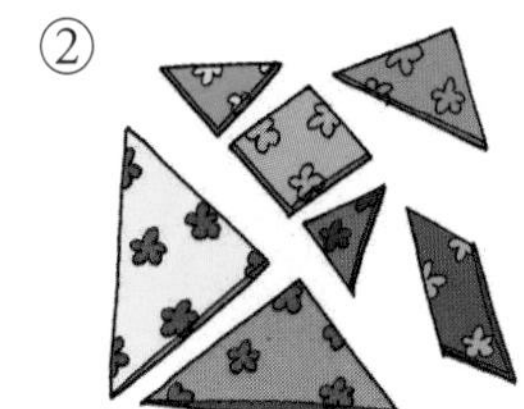
③ 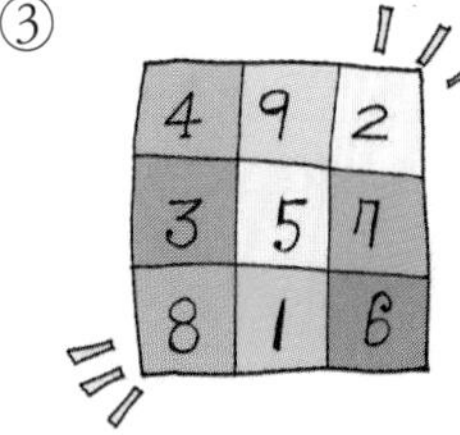

④ 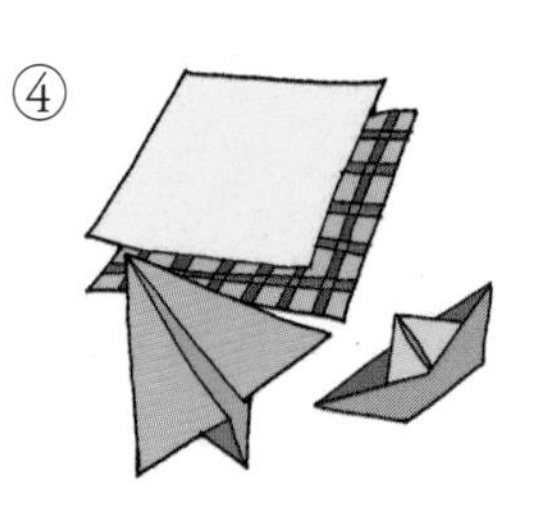

서술형

2 이해

최석정이 만든 독특한 형태의 마방진인 '지수귀문도'는 무엇인지 쓰세요.

1에서 30까지의 수를 한 번씩 사용하여 만든 마방진으로, 육각형 각에 쓰인 수의 합이 ______________________________

3 이해

동생에게 마방진 놀이에 대해 자세히 알려 주려고 합니다. 글을 알맞은 방법으로 읽은 친구에 ◯표를 하세요.

스스로 독해 해결!

4 요약

이 글에서 중요한 내용을 자세히 정리하여 빈칸에 알맞은 말을 각각 쓰세요.

마방진은 정사각형의 빈칸에 ❶ ☐☐ 를 넣어서 가로, 세로, 대각선의 ❷ ☐ 이 모두 같게 만드는 놀이이다. 마방진은 옛날 어느 거북의 등딱지에 찍힌 점의 개수가 어느 방향에서 더해도 15가 되는 것에서 시작되었고, 그 후 페르시아와 아라비아의 상인들에 의해 다른 곳으로 전해졌다는 이야기가 있다. 사람들은 마방진을 ❸ ☐☐☐ 의 연구 대상으로 삼기도 했고 귀신을 쫓기 위해 사용하기도 했다. 우리나라에서는 최석정이 '지수귀문도'라는 마방진을 만들어 내기도 했다.

▶정답 및 해설 15쪽

1

다음 낱말 뜻을 보고, 도형에서 대각선은 무엇인지 번호에 ○표를 하세요.

대각선 다각형에서 서로 이웃하지 않는 두 꼭짓점을 잇는 선분.

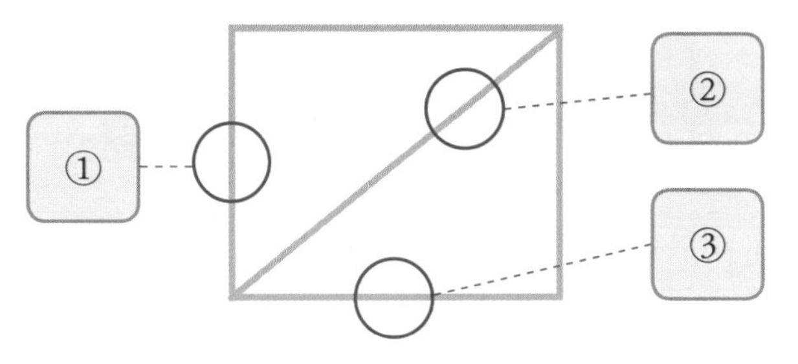

2

보기 의 낱말 뜻을 보고, 다음 그림과 문장에 알맞은 낱말을 골라 각각 ○표를 하세요.

보기

받치다 물건의 밑이나 옆 따위에 다른 물체를 대다.

바치다 신이나 웃어른에게 정중하게 드리다.

(1) 

물이 가득 든 컵을 쟁반에 (받치고 , 바치고) 들었다.

(2) 

사람들은 이 무늬를 신기하게 여겨 왕에게 거북을 (받쳤다 , 바쳤다).

3

다음 빈칸에 알맞은 낱말을 보기 에서 각각 찾아 쓰세요.

보기

좇아 목표, 이상, 행복 따위를 추구하여.

쫓아 어떤 자리에서 떠나도록 몰아.

(1) 꿈을 ______ 지금까지 달려왔다.

(2) 동생은 식탁 위에 앉은 파리를 ______ 버렸다.

▶정답 및 해설 15쪽

◉ 마방진을 쉽게 만드는 방법에 대해 알아보고, 다음 문장의 빈칸에 알맞은 숫자를 쓰세요.

❶ 가로 3칸, 세로 3칸의 마방진 각 변의 중앙에 칸을 하나씩 추가합니다.

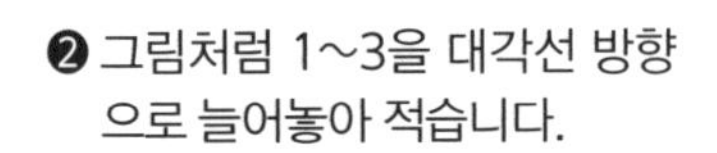

❷ 그림처럼 1~3을 대각선 방향으로 늘어놓아 적습니다.

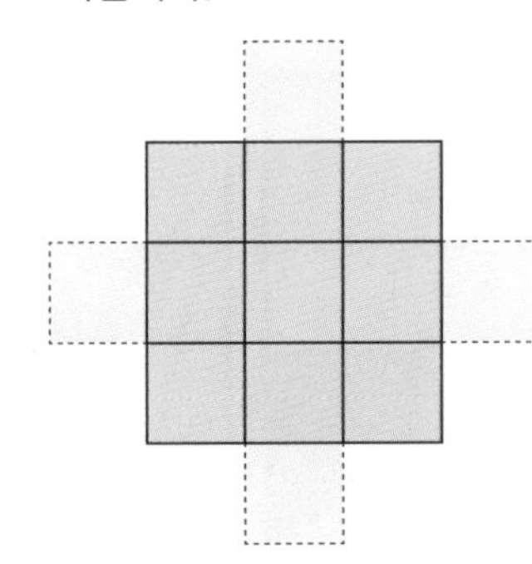

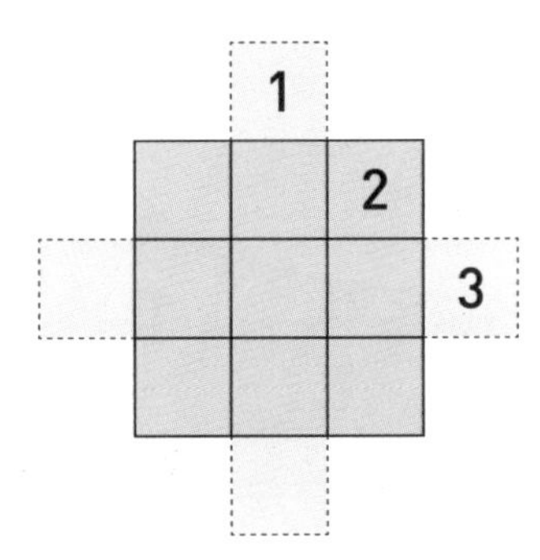

❸ 4~6과 7~9도 대각선 방향으로 차례차례 적습니다.

		1		
	4		2	
7		5		3
	8		6	
		9		

❹ 1은 아래쪽 빈칸에 넣고, 9는 위쪽 빈칸에 넣습니다.

		1		
	4	9	2	
7		5		3
	8	1	6	
		9		

❺ 7을 오른쪽 빈칸에 넣고, 3을 왼쪽 빈칸에 넣습니다.

		1		
	4	9	2	
7	3	5	7	3
	8	1	6	
		9		

마방진 완성!

4	9	2
3	5	7
8	1	6

1부터 9까지의 수가 적힌 마방진의 가로의 합은 (　　　　)예요.

「마방진이란?」의 내용을 생각하며 **마방진을 쉽게 만드는 방법**에 대해 알고 마방진 놀이를 해 봅니다.

2주 3일

수필 (문학)

꼴찌에게 보내는 갈채

공부한 날 월 일

「꼴찌에게 보내는 갈채」에 대해 자세히 알아보기

천재 학습 백과

글을 읽고 생각이나 느낌을 말해 보아라!

「꼴찌에게 보내는 갈채」는 우연히 마라톤 경기를 보게 된 글쓴이인 '내'가 꼴찌를 응원하게 되는 내용의 수필이에요.

수필은 일정한 형식을 따르지 않고 자유롭게 쓴 글로, 글쓴이의 생각이 잘 나타나지요.

이 글을 읽고 글쓴이의 생각을 파악하고 자신의 생각이나 느낌을 말해 보아요.

똑똑한 하루 독해 미리 보기

▶정답 및 해설 16쪽

● 오늘 공부할 글과 그림을 미리 보고, 알맞은 낱말을 각각 찾아 표시하세요.

나는 그가 주저앉는 걸 보면 안 되었다. 나는 그가 주저앉는 걸 봄으로써 내가 주저앉고 말 듯한 어떤 미신적인 연대감마저 느끼며 실로 열렬하고도 우렁찬 환영을 했다.

내 고독한 환호에 딴 사람들도 합세를 해 주었다. 푸른 마라토너 뒤에도 또 그 뒤에도 주자는 잇따랐다.

1 '서 있던 자리에 그대로 힘없이 앉는.'이라는 뜻의 낱말을 찾아 ○표를 하세요.

2 '한 덩어리로 서로 연결되어 있음을 느끼는 마음.'이라는 뜻의 낱말을 찾아 △표를 하세요.

3 '흩어져 있는 세력을 한곳에 모음.'이라는 뜻의 낱말을 찾아 □표를 하세요.

마라톤에 대해 알아보기

꼴찌에게 보내는 갈채

박완서

스스로 독해
글에서 글쓴이인 '나'의 생각은 무엇일까요? 점선 부분을 따라 선을 그으며 읽어 보고 자신의 생각이나 느낌도 떠올려 보아요.

어떡하든 그가 그의 20등, 30등을 우습고 불쌍하다고 느끼지 말아야지, 느끼기만 하면 그는 당장 주저앉게 돼 있었다. 그는 지금 그가 괴롭고 고독하지만 위대하다는 걸 알아야 했다.

나는 용감하게 ㉠인도에서 차도로 뛰어내리며 그를 향해 열렬한 박수를 보내며 환성을 질렀다.

나는 그가 주저앉는 걸 보면 안 되었다. 나는 그가 주저앉는 걸 봄으로써 내가 주저앉고 말 듯한 어떤 미신적인 연대감마저 느끼며 실로 열렬하고도 우렁찬 환영을 했다.

내 고독한 환호에 딴 사람들도 합세를 해 주었다. 푸른 마라토너 뒤에도 또 그 뒤에도 주자는 잇따랐다. 꼴찌 주자까지를 그렇게 열렬하게 성원하고 나니 손바닥이 붉게 부풀어 올라 있었다. / 그러나 뜻밖의 장소에서 환호하고픈 오랜 갈망을 마음껏 풀 수 있었던 내 몸은 날듯이 가벼웠다.

그전까지만 해도 나는 마라톤이란 매력 없는 우직한 스포츠라고밖에 생각 안 했었다. 그러나 앞으론 그것을 좀 더 좋아하게 될 것 같다. 그것이 조금도 속임수가 용납 안 되는 정직한 운동이기 때문에.

또 끝까지 달려서 골인한 꼴찌 주자도 좋아하게 될 것 같다. 그 무서운 고통과 고독을 이긴 의지력 때문에.

어휘 풀이

- **갈채** | 꾸짖을 갈 喝, 캘 채 采 | 외침이나 박수 따위로 찬양이나 환영의 뜻을 나타냄. ㉔ 뜨거운 갈채가 쏟아졌다.
- **고독** | 외로울 고 孤, 홀로 독 獨 | 세상에 홀로 떨어져 있는 듯이 매우 외롭고 쓸쓸함. ㉔ 가을이 되니 문득 고독해졌다.
- **연대감** | 잇닿을 연 連, 띠 대 帶, 느낄 감 感 | 한 덩어리로 서로 연결되어 있음을 느끼는 마음. ㉔ 체육 대회를 준비하면서 우리 반 친구들은 연대감으로 뭉쳤다.
- **합세** | 합할 합 合, 기세 세 勢 | 흩어져 있는 세력을 한곳에 모음.
- **주자** | 달릴 주 走, 사람 자 者 | 경주하는 사람. ㉔ 청팀 주자가 선두로 달리고 있다.
- **갈망** | 목마를 갈 渴, 바랄 망 望 | 간절히 바람. ㉔ 행복에 대한 갈망이 나를 행복으로 이끌어 주었다.
- **우직** | 어리석을 우 愚, 곧을 직 直 | 한 어리석고 고지식한. ㉔ 경수는 우직한 성격이다.
- **용납** | 얼굴 용 容, 들일 납 納 | 너그러운 마음으로 남의 말이나 행동을 받아들임. ㉔ 범죄는 절대 용납할 수 없다.

▶정답 및 해설 16쪽

1 어휘

㉠'인도'와 구분하여 '자동차만 다니게 한 길.'이라는 뜻으로 쓰인 낱말을 찾아 쓰세요.

( )

서술형

2 이해

글쓴이는 왜 뒤쪽에 달리는 주자가 주저앉는 걸 보면 안 된다고 했는지 쓰세요.

뒤쪽에 달리는 주자가 주저앉는 걸 보면 자신이 주저앉고 말 듯한 ____이 느껴졌기 때문이다.

스스로 독해 해결!

3 유추

이 글을 읽고 자신의 생각이나 느낌을 알맞게 말한 친구에 ○표를 하세요.

(1) 이기는 것을 중요하게 생각하여 일 등 주자만을 응원하는 글쓴이의 모습을 보고 역시 결과가 중요하다고 생각했어.

( )

(2) 끝까지 포기하지 않고 달리는 꼴찌를 위대하다고 생각하여 갈채를 보내는 글쓴이의 모습을 보고 결과보다는 과정이 중요하다는 생각을 했어.

( )

힌트
글에 대한 자신의 생각이나 느낌을 말할 때에는 글 내용과 맞아야 해요.

4 요약

글쓴이의 생각을 중심으로 이 글의 내용을 정리하여 빈칸에 알맞은 말을 각각 쓰세요.

마라톤 주자들이 지나갈 때마다 열렬한 박수를 보내고 환성을 지르며 응원한 후 오랜 ❶ ☐☐을 마음껏 풀 수 있었다.	→	조금도 속임수가 용납 안 되는 정직한 운동이기 때문에 ❷ ☐☐☐을 좀 더 좋아하게 될 것 같다.	→	무서운 고통과 고독을 이긴 의지력 때문에 끝까지 달려서 골인한 ❸ ☐☐ 주자도 좋아하게 될 것 같다.

▶정답 및 해설 16쪽

1 겹받침 'ㄺ'의 발음에 주의하며 다음 밑줄 그은 낱말을 소리 나는 대로 바르게 쓴 것을 골라 각각 ○표를 하세요.

(1) 

노을 진 하늘은 참 붉다[북따 , 불따].

(2) 

가을 산의 단풍이 붉지[북찌 , 불찌] 아니한가.

(3) 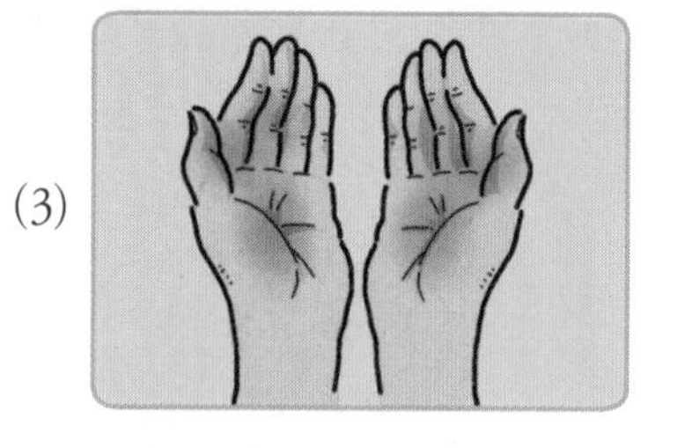

손바닥이 붉게[북께 , 불께] 물들어 있었다.

(4) 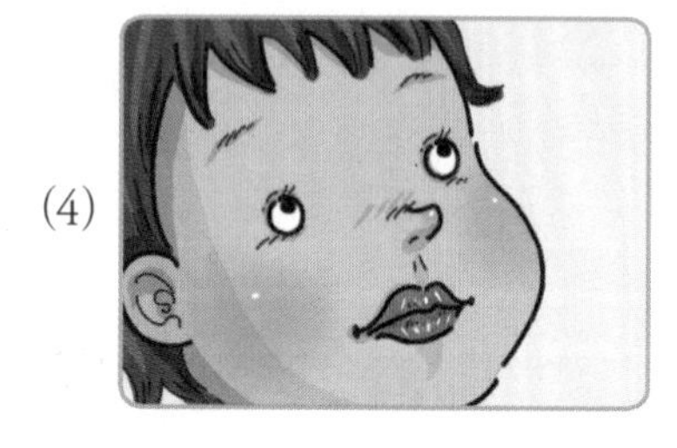

아기의 붉고[북꼬 , 불꼬] 반짝이는 입술이 참 앙증맞았다.

힌트
겹받침 'ㄺ'이 자음자 앞이나 말의 끝에 오면 겹받침 'ㄺ'은 [ㄱ]으로 소리 나고, 겹받침 'ㄺ' 다음에 자음자 'ㄱ'이 오면 겹받침 'ㄺ'은 [ㄹ]로 소리 나요.

2 다음 밑줄 그은 '밖에'의 호응 관계를 생각하며 보기 의 문장을 바르게 고쳐 쓴 것에 ○표를 하세요.

보기
나는 마라톤이란 매력 없는 우직한 스포츠라고밖에 생각이 들었다.

(1) 나는 마라톤이란 매력 없는 우직한 스포츠라고밖에 생각 안 했었다. (　　　)

(2) 나는 마라톤이란 매력 없는 우직한 스포츠라고밖에 생각하는 편이다. (　　　)

▶정답 및 해설 16쪽

◉ 마라톤은 고대 그리스의 '마라톤 전쟁 이야기'에서 비롯된 올림픽 경기 종목으로, 총 거리 42.195킬로미터를 달려서 도착 순서를 겨루는 경기예요. 다음 마라톤의 규칙을 살펴보고 재미있는 숨은그림찾기를 해 보아요.

〈마라톤의 규칙〉

마라톤은 출발점에서 5킬로미터 거리마다 통과 지점을 표시해 둡니다. 선수들은 5킬로미터 지점마다 마련된 식음수대의 음식물과 물을 적신 스펀지를 이용할 수 있으며, 이것을 이용할 때는 선수 자신이 직접 집어 들어야 한다는 규칙이 있습니다.

숨은 그림: 자, 연필, 사과, 은행잎

재미있는 숨은그림찾기를 하며 「꼴찌에게 보내는 갈채」에 나오는 마라톤에 대해 살펴보고, **마라톤의 총 거리, 규칙 등**에 대해 알아봅니다.

2주 4일 인물 (비문학)
간디

공부한 날 월 일

전기문에 대해 자세히 알아보기

천재 학습 백과

전기문의 특성을 생각하며 읽어라!

전기문은 인물의 삶을 사실에 근거해 쓴 글로, 전기문에는 인물이 어떤 시대 상황에 처해 있고 그때 어떤 일을 했는지가 나타나 있어요.
「간디」를 읽고 인도의 당시 시대 상황에서 간디가 어떠한 일을 했는지 살펴볼까요?

▶정답 및 해설 17쪽

- 오늘 공부할 글의 그림을 미리 보고, 빈칸에 알맞은 낱말을 각각 찾아 쓰세요.

행진 선언 탄압 전매

영국은 소금 ❶ [ ] 제도로 인도 사람들의 소금 생산, 유통, 판매를 제한했어요. 이에 반대한 간디는 시민 불복종 운동을 ❷ [ ] 했지요. 그리고 많은 사람을 이끌고 소금을 만들 수 있는 해안까지 ❸ [ ] 했어요.

↳ 국가가 국고 수입을 위하여 어떤 물건의 판매를 독점하는 일.

↳ 국가나 단체, 개인이 주장이나 방침, 입장 등을 공식적으로 널리 알림.

↳ 줄을 지어 앞으로 나아감.

간디가 살았던 시대 상황을 살펴보며 간디가 한 일을 알아볼까요?

바다에서 소금을 얻었다는 이유로 잡혀갔다고?

인도의 독립 운동에 대해 알아보기

간디

스스로 독해

간디가 처한 시대 상황에서 간디가 한 일은 무엇인가요? 점선 부분을 따라 선을 그으며 읽어 보아요.

영국의 지배를 받는 인도에는 소금 전매 제도가 있었다. 소금의 생산과 유통, 판매는 모두 영국 정부의 허가가 있어야만 가능했고, 이를 어기면 무거운 처벌을 받았다. 게다가 정부가 매긴 소금에 대한 세금이 너무 높아서 가난한 사람들은 소금을 마음대로 사 먹을 수도 없었다. 간디는 이에 대한 반대로 시민 불복종 운동을 선언하고 소금을 만들 수 있는 단디 해안까지 행진을 하기로 결심했다.

당시 간디는 61세의 노인이었다. 그가 걸어서 해안으로 가는 24일 동안 세계의 언론과 양심은 간디와 함께했고, 많은 사람들이 간디의 행진에 직접 동참했다.

단디 해안에 도착한 간디는 손수 바닷물을 끓여 소금을 만들었다. 간디가 그 소금을 한 줌 집어 들자, 함께했던 사람들은 눈물을 글썽이며 박수를 쳤다.

그러나 소금을 만들 수 있는 권리는 오직 정부만이 가지고 있었기에 그 순간 간디는 소금법을 위반한 것이었다. 간디는 기다리고 있던 경찰관들에게 체포되었고, 함께한 사람들은 경찰의 무자비한 탄압을 받았다.

"간디를 석방하라."

세계 각국에서 간디의 체포에 항의하는 편지가 영국으로 쏟아졌다. 결국 영국은 간디를 풀어 주고, 인도인들이 소금을 만들어 먹을 수 있도록 했다.

간디가 추구한 사탸그라하는 힘이나 무기를 쓰지 않는 평화로운 투쟁 방식이었다. 이런 비폭력 정신을 주장한 간디는 전 세계인의 존경을 받게 되었다.

어휘 풀이

- **전매** | 오로지 전 專, 팔 매 賣 | 국가가 국고 수입을 위하여 어떤 물건의 판매를 독점하는 일.
- **선언** | 베풀 선 宣, 말씀 언 言 | 국가나 단체, 개인이 주장이나 방침, 입장 등을 공식적으로 널리 알림.
- **행진** | 다닐 행 行, 나아갈 진 進 | 줄을 지어 앞으로 나아감. 예 곧 거리 행진이 시작됩니다.
- **위반** | 어길 위 違, 돌이킬 반 反 | 법률, 명령, 약속 따위를 지키지 않고 어김. 예 신호 위반으로 벌금을 냈다.
- **탄압** | 탄알 탄 彈, 누를 압 壓 | 권력이나 무력 따위로 억지로 눌러 꼼짝 못 하게 함. 예 일제의 탄압을 견뎌야 했다.

▶정답 및 해설 17쪽

1 유추

이 글에서 알 수 있는 당시 인도의 사회적 상황으로 알맞은 것에 ○표를 하세요.

(1) 영국의 지배를 받아 영국 정부로부터 많은 차별과 불합리한 대우를 받았다. (　　　)

(2) 전 세계적으로 소금이 귀해 인도인들은 바닷물을 끓여 만든 소금을 영국에 바쳐야 했다. (　　　)

스스로 독해 해결!

2 이해

이 글에서 간디가 한 일은 무엇인지 모두 고르세요. (　　　　　)

① 시민 불복종 운동을 선언했다.
② 손수 바닷물을 끓여 소금을 만들었다.
③ 힘이나 무기를 써서 영국에 투쟁했다.
④ 소금을 만들 수 있는 해안까지 24일 동안 행진했다.
⑤ 소금을 팔다가 체포된 인도인들을 석방하라는 편지를 썼다.

힌트: 간디는 무저항 · 불복종 · 비폭력 · 비협력주의에 의한 독립 운동을 지도한 인도의 정치가 · 민족 운동 지도자예요.

서술형

3 이해

간디가 추구한 '사탸그라하'는 무엇인지 이 글에서 찾아 쓰세요.

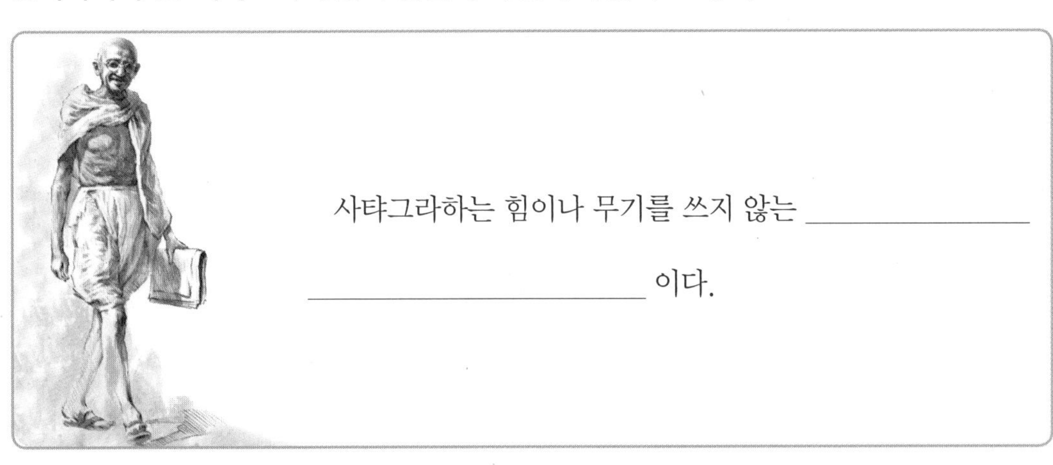

사탸그라하는 힘이나 무기를 쓰지 않는 ______________ ______________ 이다.

4 요약

이 글의 중요한 사건을 정리하여 빈칸에 알맞은 말을 각각 쓰세요.

인도를 지배한 ❶ [　][　] 은 소금 전매 제도를 실시하여 인도 사람들의 소금 생산, 유통, 판매를 제한하였다. → 간디는 시민 불복종 운동을 선언하고 ❷ [　][　] 을 만들 수 있는 해안까지 행진을 하였다. → 바닷물을 끓여 소금을 만든 간디는 체포되었다. → 세계 각국은 간디의 체포에 항의했고 영국은 ❸ [　][　] 를 풀어 주었다. → 인도인들은 소금을 만들어 먹을 수 있게 되었다.

▶정답 및 해설 17쪽

1 다음 밑줄 그은 '줌'으로 셀 수 있는 것에 ○표를 하세요.

보기

소금을 한 줌 집어 들자 사람들은 박수를 쳤다.
↳한 손에 쥘 수 있는 양을 세는 단위.

(1) 

곰 한 ☐

(2) 

밀가루 한 ☐

(3) 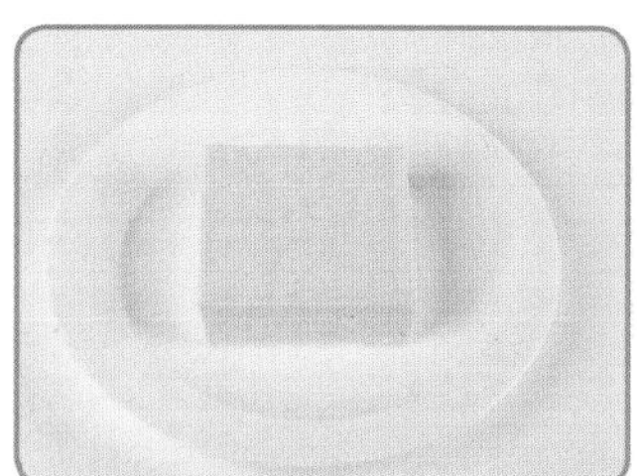

두부 한 ☐

2 다음 문장의 밑줄 그은 낱말과 뜻이 반대인 낱말을 찾아 각각 선으로 이으세요.

(1) 간디는 비폭력 정신을 주장하였다. •　　　• ① 폭력

(2) 소금의 생산은 정부의 허가가 있어야만 가능했다. •　　　• ② 불가능

3 다음 문장의 밑줄 그은 낱말과 바꾸어 쓸 수 있는 말에 각각 ○표를 하세요.

(1) 소금을 만들 수 있는 권리는 오직 정부만이 가지고 있었다.

역시 , 다만 , 간직

(2) 바닷물을 끓여 소금을 만든 그 순간 간디는 소금법을 위반하였다.

찰나 , 순서 , 순식간

힌트
'오직'은 '다른 것은 있을 수 없고 다만.'이라는 뜻이고,
'순간'은 '어떤 일이 일어난 바로 그때.'라는 뜻이에요.

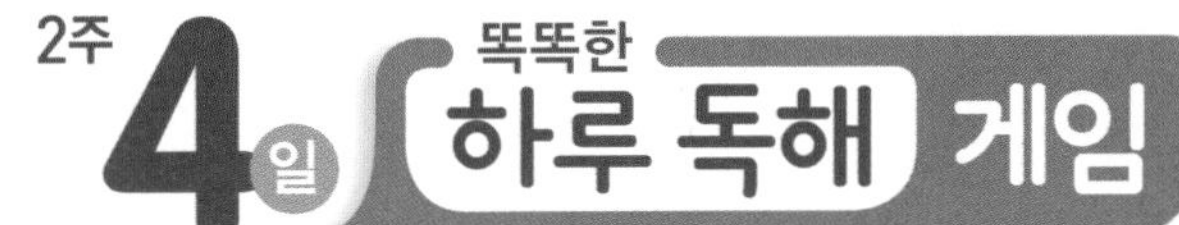

▶정답 및 해설 17쪽

◉ 간디는 어떻게 바닷물을 끓여 소금을 만들었을까요? 다음 소금물에서 소금을 분리하는 실험을 해 보고 알맞은 말에 ◯표를 하세요.

준비물: 굵은소금, 컵, 물, 막대, 물 끓일 도구 등

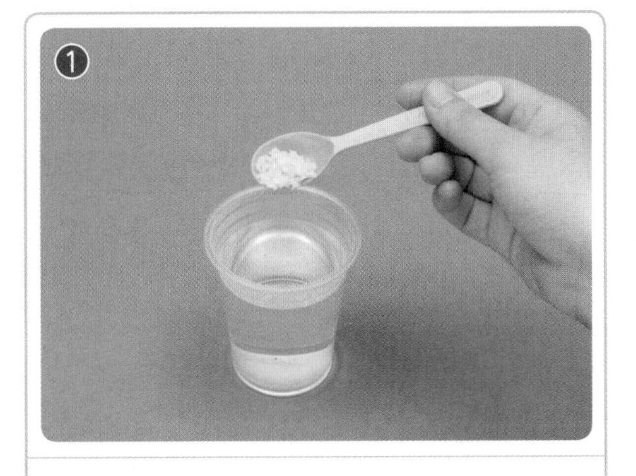

① 물에 소금을 넣습니다.

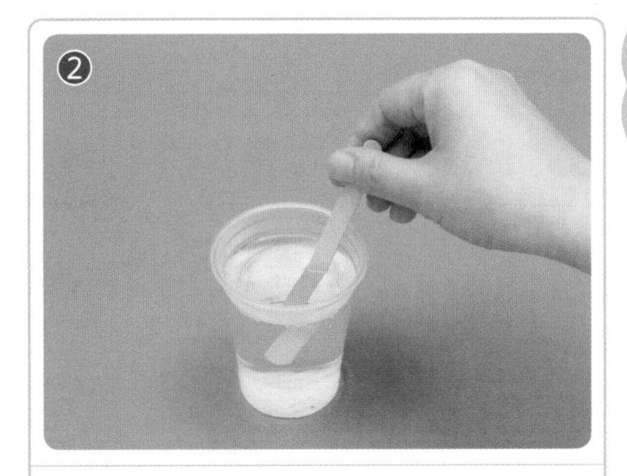

② 소금이 잘 섞이게 막대로 젓습니다.

③ 소금물을 끓입니다.

④ 물의 양이 서서히 줄어들면서 하얀색 고체가 사방으로 튀고 소금만 남습니다.

물이 증발하면서 남은 하얀색 고체가 [ ][ ]이에요.

「간디」에서 바닷물을 끓여 소금을 만든 간디의 행동을 생각하며 **소금 만들기 실험**에 대해 알아봅니다.

2주 5일

생활 속 독해

직업 체험관 관람 및 체험 방법

공부한 날 월 일

「직업 체험관 관람 및 체험 방법」을
읽고, 직업 체험관 이용 방법에
대해 알아보았어요.

안내문을 보고 견학 간 곳의 이용 방법을 파악하라!

어린이와 청소년들이 다양한 직업을 체험하며 자신의 재능과 직업에 대한 흥미를 알아볼 수 있는 '직업 체험관'으로 견학을 가 볼까요?

「직업 체험관 관람 및 체험 방법」에 나온 이용 방법을 파악하여 자신이 체험해 보고 싶은 곳을 찾아가 보아요.

똑똑한 하루 독해 미리 보기

▶정답 및 해설 18쪽

◉ 오늘 공부할 글의 사진을 미리 보고, 빈칸에 알맞은 낱말을 각각 찾아 쓰세요.

체험　　수령　　사전　　진로

자신의 ❶ ☐☐ 에 대해 고민해 본 적이 있나요? 여기 직업을 ❷ ☐☐ 해 볼 수 있는 곳이 있대요. ❸ ☐☐ 에 예약해야 하는 곳도 있으니 관람 방법을 잘 파악한 후 견학하러 가 볼까요?

→장래의 삶의 방향.

자기가 몸소 겪음. 또는 그런 경험.←

→일을 시작하기 전.

직업을 직접 체험해 볼 수 있다고?

견학에 대해 알아보기

스스로 독해

직업을 체험할 수 있는 곳으로 견학을 갔는데 어떻게 해야 할까요? 점선 부분을 따라 선을 그으며 읽어 보고 관람 및 체험 방법에 맞게 견학해 보아요.

직업 체험관 관람 및 체험 방법

이용 가능 고객: 초등학교 5학년~고등학교 3학년 → 예약 확인 및 발권(2층 안내 데스크): 출입증 수령 → 자기 정보 등록대(2층): 본인 정보 등록 →

진로 설계관 (2층)	▶ 놀이형 검사(재능 검사 50분, 흥미 검사 20분) • 검사 후 검사 결과지 수령 • 진로 검사 및 해석 상담(온라인 예약 및 현장 접수)
청소년 체험관 (3층)	▶ 1시간 동안 50개 체험실, 5개 기획 체험실(70개 직종) 중 1개를 선택하여 체험 ▶ 홈페이지에서 사전에 체험실 예약 필수 ▶ 체험 후 '체험 활동 보고서' 지급(체험한 직업과 관련된 적성 및 흥미 유형, 대학 학과, 일자리 전망 등을 포함)
직업 세계관 (4~5층)	▶ 사전 예약 없이 입장 ▶ 시뮬레이터 가상 직업(크레인 운전원, 전동차 기관사, 어부 등 8개) 및 VR(가상 현실) 체험

→ 퇴장: 출입증은 출구 앞 반납대에 자율 반납

어휘 풀이

- **발권** | 필 발 發, 문서 권 券 | 지폐 또는 돈이나 물품과 교환할 수 있는 종이로 된 증서를 발행함. 또는 그런 일. 예 주차권이 발권되었으니 뽑아 가세요.
- **수령** | 받을 수 受, 거느릴 령 領 | 돈이나 물품을 받아들임. 예 상품 직접 수령 가능.
- **진로** | 나아갈 진 進, 길 로 路 | 장래의 삶의 방향. 예 선생님과 진로에 대해 상담했다.
- **체험** | 몸 체 體, 시험 험 驗 | 자기가 몸소 겪음. 또는 그런 경험. 예 농장에 가서 딸기 따기 체험을 했다.
- **사전** | 일 사 事, 앞 전 前 | 일이 일어나기 전. 또는 일을 시작하기 전. 예 오늘은 아파트 입주 사전 점검을 하는 날이다.
- **시뮬레이터** 복잡한 작동 상황 따위를 컴퓨터를 사용하여 실제 장면과 같도록 재현하는 장치.
- **가상** | 거짓 가 假, 생각 상 想 | 사실이 아니거나 사실 여부가 분명하지 않은 것을 사실이라고 가정하여 생각함. 예 가상의 공간에서 미래 사회를 체험하였다.

▶ 정답 및 해설 18쪽

스스로 독해 해결!

1 이해

이 글을 읽고 직업 체험관 관람 및 체험 방법을 알맞게 말한 친구는 누구인지 쓰세요.

(   )

힌트 '진로 설계관'과 '직업 세계관'에 대해 설명한 부분을 잘 살펴보아요.

서술형

2 이해

다음은 어느 곳에 대한 설명인지 빈칸에 알맞은 말을 각각 찾아 쓰세요.

(1) ________________에서는 여러 체험실 중 1개를 선택하여 체험하면 체험한 직업과 관련된 적성 및 흥미 유형, 대학 학과, 일자리 전망 등을 포함한 '(2) ________________'를 지급한다.

힌트 먼저 2층, 3층, 4~5층 가운데에서 어디에 있는 곳인지 살펴보아요.

3 요약

이 글을 읽고 직업 체험관 관람 및 체험 방법을 정리하여 빈칸에 알맞은 말을 각각 쓰세요.

예약 확인 및 발권	→	층별 안내	→	퇴장
2층 안내 데스크에서 예약 확인 및 발권 후 출입증 ❶ ☐☐ → 자기 정보 등록대에서 본인 정보 등록 후 입장	→	• 2층: ❷ ☐☐ 설계관 • 3층: 청소년 체험관 • 4~5층: 직업 세계관	→	출구 앞 반납대에 출입증 ❸ ☐☐ 후 퇴장

기초 집중 연습으로 어휘력 튼튼

▶정답 및 해설 18쪽

1

낱말 '사전'의 뜻을 생각하며 다음 그림과 관련된 문장을 찾아 각각 선으로 이으세요.

(1) 

• ① 모르는 낱말의 뜻을 사전 에서 찾아보았다.

(2) 

• ② 이 음식점은 사전 에 예약을 해야만 들어갈 수 있다.

힌트 '일을 시작하기 전.'이라는 뜻의 '사전'과 '낱말을 모아 일정한 차례에 따라 싣고, 그 발음, 뜻 등을 설명한 책.'이라는 뜻의 '사전'을 구분해 보아요.

2

보기 와 같이 다음 낱말을 각각 소리 나는 대로 쓰세요.

보기

진로 → [질로]

(1) 인류 → [ ]

(2) 권력 → [ ]

(3) 연락 → [ ]

힌트 '인류, 권력, 연락'은 받침 'ㄴ'이 'ㄹ'의 앞에서 [ㄹ]로 소리 나는 낱말이에요.

3

다음 밑줄 그은 낱말과 바꾸어 쓸 수 있는 낱말을 모두 찾아 ○표를 하세요.

체험한 직업과 관련된 대학 학과, 일자리 전망 <u>등</u>을 포함한다.

(1) 들　(2) 후　(3) 따위

힌트 '등'은 '그 밖에도 같은 종류의 것이 더 있음을 나타내는 말.'이라는 뜻이에요.

재미있는 독해 게임으로 독해력 쑥쑥

▶정답 및 해설 18쪽

◉ '직업 체험관'에 갔어요. 방송국 체험을 하려고 하는데 어디로 가야 할까요? 길 찾기 놀이를 해 보아요.

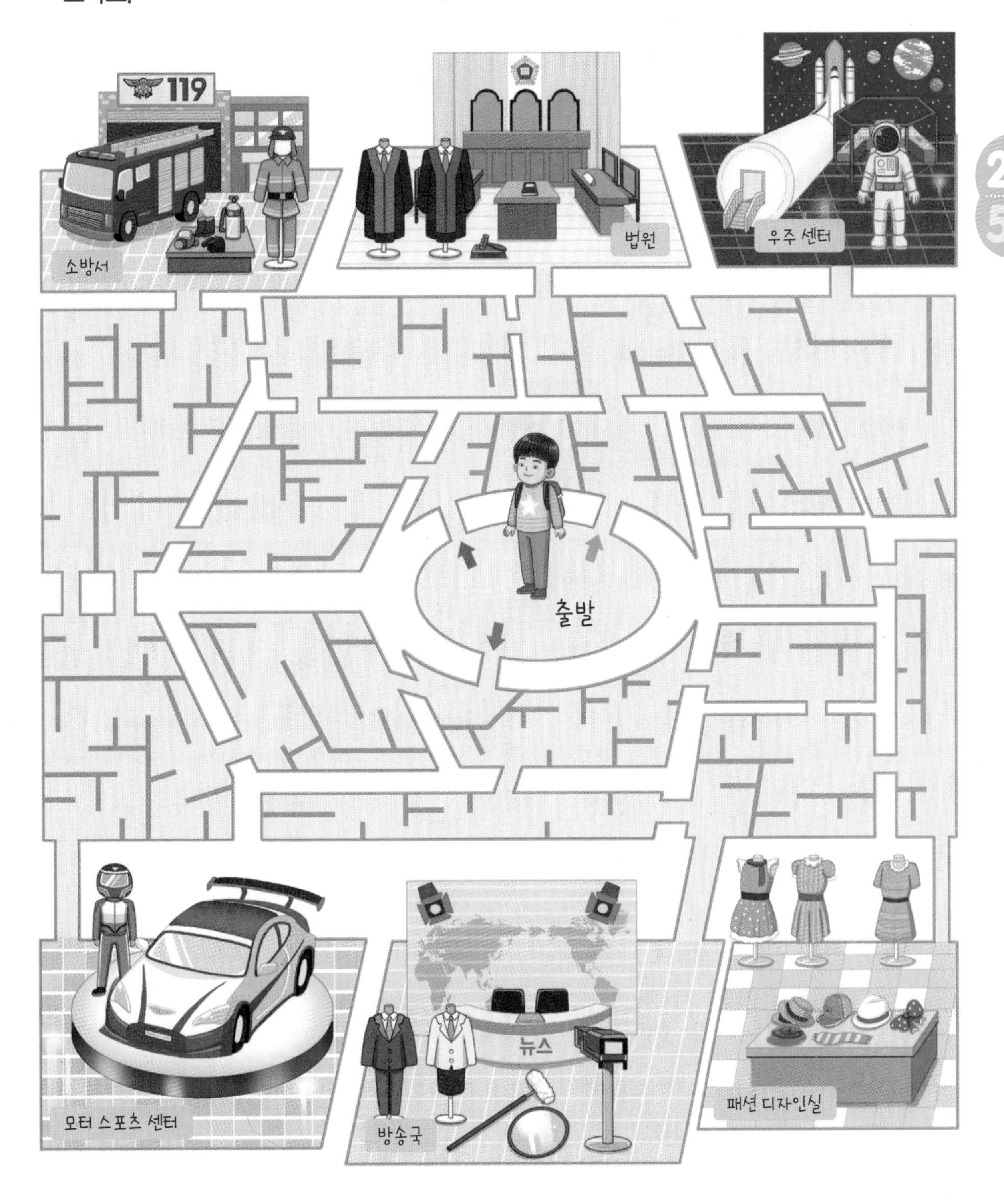

「직업 체험관 관람 및 체험 방법」을 생각하며 재미있는 길 찾기 놀이를 통해 **직업 체험관에는 어떤 체험실들이 있는지** 더 알아봅니다.

2주 누구나 100점 테스트

[1~3] 다음 글을 읽고, 물음에 답하세요.

(가) 시백의 장원 급제로 경사 분위기가 넘치는 가운데, 박씨의 아버지 박 처사가 박씨를 찾아왔다. 박 처사가 딸의 얼굴을 어루만지며 말했다.

"이제 너도 허물을 벗을 때가 왔구나."

(나) 못생긴 박씨는 온데간데없고 ㉠아리따운 부인이 ㉡다소곳이 앉아 있는 것이었다. 계화는 호들갑을 떨며 안채로 건너가 사람들을 불렀다.

드디어 박씨가 말문을 열었다.

"제가 전생에 죄가 많아 흉측한 허물을 쓰고 태어났으나, 하늘이 제 처지를 ㉢불쌍히 여겨 제 원래의 모습을 찾아 준 것이니 너무 놀라지 마십시오."

1 이 글의 시대적 배경이 조선 시대임이 드러나는 낱말에 ◯표를 하세요.

(장원 급제 , 부인 , 처지)

2 ㉠~㉢ 중 다음 뜻을 가진 낱말의 기호를 쓰세요.

> 고개를 조금 숙이고 온순한 태도로 말이 없이.

(   )

3 박씨가 흉측한 허물을 쓰고 태어난 까닭은 무엇인지 빈칸에 알맞은 말을 쓰세요.

• 전생에 [   ] 이/가 많아서

[4~5] 다음 글을 읽고, 물음에 답하세요.

지금으로부터 약 4,000년 전 중국 하나라 우왕 시절에 낙수라는 강에서 생긴 일이야. 거북 한 마리가 강기슭으로 올라왔는데 신기하게도 거북의 등딱지에 1부터 9까지의 수가 점으로 찍힌 그림이 새겨져 있었대. 그런데 놀랍게도 이 점의 개수는 어느 방향에서 더해도 15가 되고 있었지. 당시 사람들은 이 무늬를 매우 귀하고 신기하게 여겨 왕에게 바쳤단다. 여기에서 시작된 놀이가 바로 마방진이야.

그 후 마방진은 페르시아와 아라비아의 상인들에 의해 서아시아, 남아시아, 유럽 등지로 전해졌다는 이야기가 있어. 또한 당시의 유럽 사람들은 마방진을 신비롭게 여겨서 점성술의 연구 대상으로 삼았어. 중국에서는 귀신을 쫓기 위해서 마방진을 사용했단다.

4 마방진 놀이에 대해서 알맞게 말한 것을 두 가지 고르세요. (   )

① 서아시아에서 시작된 놀이이다.
② 중국에서는 귀신을 쫓기 위해 사용했다.
③ 어느 방향에서 더해도 13이 되어야 한다.
④ 금붕어의 등에 새겨진 그림으로 시작되었다.
⑤ 당시의 유럽 사람들은 마방진을 신비롭게 여겼다.

5 마방진 놀이를 할 때 다음 빈칸에 어떤 수가 들어가야 하는지 각각 쓰세요.

2	7	(1)
9	5	1
(2)	3	8

[6~7] 다음 글을 읽고, 물음에 답하세요.

꼴찌 주자까지를 그렇게 열렬하게 성원하고 나니 손바닥이 붉게 부풀어 올라 있었다.

그러나 뜻밖의 장소에서 환호하고픈 오랜 갈망을 마음껏 풀 수 있었던 내 몸은 날듯이 가벼웠다.

그전까지만 해도 나는 마라톤이란 매력 없는 우직한 스포츠라고밖에 생각 안 했었다. 그러나 앞으론 그것을 좀 더 좋아하게 될 것 같다. 그것이 조금도 속임수가 용납 안 되는 정직한 운동이기 때문에. / 또 끝까지 달려서 골인한 꼴찌 주자도 좋아하게 될 것 같다. 그 무서운 고통과 고독을 이긴 의지력 때문에.

6 글쓴이가 마라톤을 좋아하게 된 까닭은 무엇인지 찾아 ◯표를 하세요.

(1) 경기가 짧게 끝나기 때문에 (　　　)

(2) 많은 사람이 참여할 수 있기 때문에 (　　　)

(3) 조금도 속임수가 용납 안 되는 정직한 운동이기 때문에 (　　　)

7 이 글의 '나'와 생각이 비슷한 친구의 이름에 ◯표를 하세요.

[8~9] 다음 글을 읽고, 물음에 답하세요.

단디 해안에 도착한 간디는 손수 바닷물을 끓여 소금을 만들었다. 간디가 그 소금을 한 줌 집어 들자, 함께했던 사람들은 눈물을 글썽이며 박수를 쳤다.

그러나 소금을 만들 수 있는 권리는 오직 정부만이 가지고 있었기에 그 순간 간디는 소금법을 위반한 것이었다. 간디는 기다리고 있던 경찰관들에게 체포되었고, 함께한 사람들은 경찰의 무자비한 탄압을 받았다.

"간디를 석방하라."

세계 각국에서 간디의 체포에 항의하는 편지가 영국으로 쏟아졌다.

8 다음 중 간디가 한 일은 무엇인가요? (　　　)

① 맛있는 음식을 만들었다.
② 바닷물을 끓여 소금을 만들었다.
③ 소금을 만든 사람들을 체포하였다.
④ 사람들에게 소금을 나누어 주었다.
⑤ 체포된 사람들을 풀어 주라고 편지를 썼다.

9 간디가 위반한 법은 무엇인지 쓰세요.

(　　　　　　　)

10 다음 낱말의 뜻을 찾아 선으로 이으세요.

(1) 수령 •　　• ① 돈이나 물품을 받아들임.

(2) 체험 •　　• ② 자기가 몸소 겪음. 또는 그런 경험.

2주 특강 창의·융합·코딩 ①

창의

1 다음 만화를 읽고, 2주차에서 배운 낱말을 떠올려 어휘 퀴즈에 알맞은 낱말을 빈칸에 각각 쓰세요.

▶정답 및 해설 19쪽

어휘 퀴즈

❶ '교만한 마음에서 남을 낮추어 보거나 하찮게 여기다.'를 뜻하는 말은?

→

❷ '행복에 대한 ○○'의 빈칸에 들어갈 말로, '간절히 바람.'을 뜻하는 말은? →

❸ '권력이나 무력 따위로 억지로 눌러 꼼짝 못 하게 함.'을 뜻하는 말은? →

융합

2 마라톤 선수가 출발한 시각과 결승점에 도착한 시각을 보고, 마라톤을 완주하는 데 얼마나 걸렸는지 계산하여 빈칸에 알맞은 숫자를 각각 쓰세요.

출발한 시각

도착한 시각

마라톤 선수는 마라톤을 완주하는 데 ☐ 시간 ☐ 분 ☐ 초가 걸렸습니다.

▶정답 및 해설 19쪽

코딩

3 간디가 영국의 소금 전매 제도에 반대하며 단디 해안까지 행진을 하려고 해요. 단디 해안까지 무사히 도착하려면 빈 부분에 어떤 코딩 블록이 들어가야 하는지 알맞은 것에 ○표를 하세요.

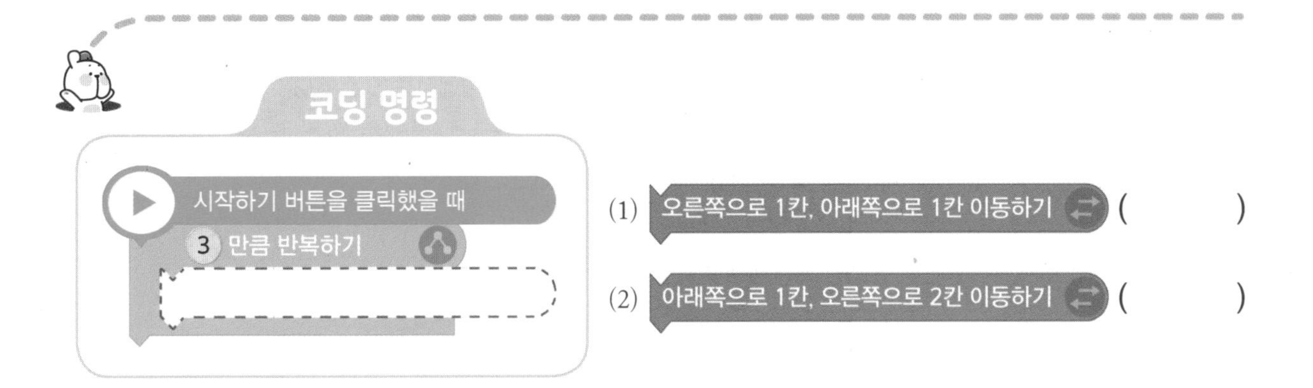

(1) 오른쪽으로 1칸, 아래쪽으로 1칸 이동하기 (　　　)

(2) 아래쪽으로 1칸, 오른쪽으로 2칸 이동하기 (　　　)

창의

4 독감 예방 접종 안내문을 보고 알맞은 낱말에 ○표를 하세요.

생활 어휘

독감 예방 접종

독감(인플루엔자)

A형 또는 B형 인플루엔자 바이러스에 의한 전염성이 높은 급성 호흡기 질환

※ 일반 감기 증상 외에 갑작스러운 38℃ 이상의 고열과 두통, 근육통 등 전신 증상이 나타나는 것이 특징입니다.

독감 유행 시기 및 적절한 접종 시기

우리나라의 독감 유행 시기는 12월~4월까지로, 유행 시기 시작 전인 10월~11월 안에 접종을 해야 항체가 충분히 만들어져 독감을 예방할 수 있습니다.

※ 접종 후 면역력 생성은 2주 정도 걸리며 면역력은 6개월 정도 지속됩니다.

얘들아, 이 안내문은 독감은 무엇이고 독감 예방 접종을 언제 해야 하는지 알려 주는 글이야. 급성 호흡기 질환이란 우리가 숨을 쉬는 일을 맡은 기관에 평소와 다른 이상 증세가 (1)(천천히 , 갑자기) 나타나고 빠르게 진행되는 몸의 온갖 (2)(병 , 땀)을 말해. 이 안내문을 읽고 적절한 시기에 독감 예방 접종을 하자.

어휘 풀이

- **급성**|급할 급 急, 성품 성 性| 병 따위의 증세가 갑자기 나타나고 빠르게 진행되는 성질.
  예 급성 위경련으로 병원에 실려 갔다.
- **질환**|병 질 疾, 근심 환 患| 몸의 온갖 병. 예 위장 질환으로 약을 먹고 있다.
- **항체**|막을 항 抗, 몸 체 體| 항원의 자극에 의하여 몸속에서 만들어지는 물질. 몸속에 그 항원에 대한 면역성이나 과민성을 줌. 예 예방 접종을 하면 병균에 대한 항체가 생긴다.
- **면역력**|면할 면 免, 염병 역 疫, 힘 력 力| 외부에서 들어온 병원균에 저항하는 힘.
  예 면역력을 키우기 위해 음식을 골고루 먹었다.

▶정답 및 해설 19쪽

창의 **5** 생활 한자

行(다닐 행) 자에 대해 알아보고, 다음 물음에 답하세요.

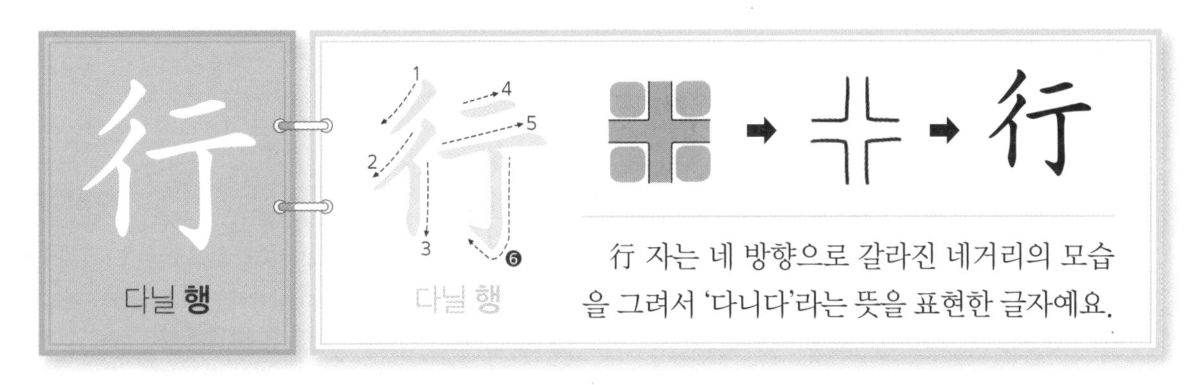

(1) 行 자가 들어간 낱말을 알아보고, 한자의 음을 쓰세요.

① 웃어른께 버릇없이 行動하면 안 된다.

[ ] 동

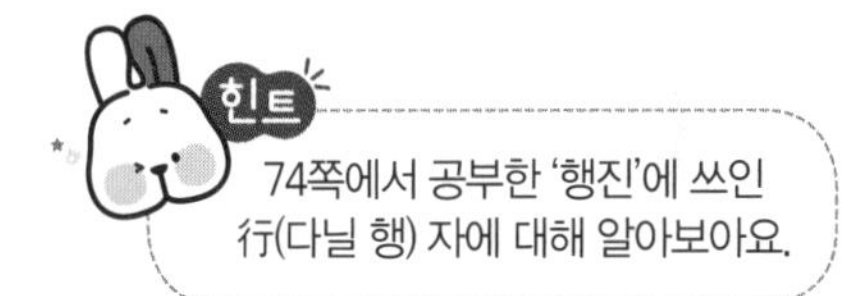

② 이번 여름에는 가족과 함께 제주도로 旅行을 떠나기로 했다.

여 [ ]

(2) 한자 성어의 뜻을 알아보고, 빈칸에 알맞은 한자를 쓰세요.

言 行 一 致
말씀 **언** 다닐 **행** 하나 **일** 이를 **치**

말과 행동이 하나로 들어맞음. 또는 말한 대로 실행함.

• 자신이 말한 것은 바로 행동에 옮기는 言 [ ] 一 致 (언행일치)를 실천하자.

3주

3주에는 무엇을 공부할까? ❶

공부할 내용

1일 난중일기

2일 키가 크는 데에도 때가 있다!

3일 하회탈

4일 하여가와 단심가

5일 종이 빨대 제공 안내

3주

3주에는 무엇을 공부할까? ❷

1-1 밑줄 그은 '보고'의 뜻으로 알맞은 것을 골라 ◯표를 하세요.

배흥립의 종이 경상도로부터 와서 적의 정세를 전하였다. 황득중 등이 와서 보고하기를 "내수사의 종 강막지라는 자가 소를 많이 기르기 때문에 왜놈들이 소 열두 마리를 끌고 갔습니다." 하였다.

(1) 귀중한 물건을 간수해 두는 창고. (　　)

(2) 일에 관한 내용이나 결과를 말이나 글로 알림. (　　)

1-2 밑줄 그은 '보고'가 다른 뜻으로 쓰인 문장의 기호를 쓰세요.

㉠ 장군은 부하들로부터 전쟁의 상황을 보고 받았다.

㉡ 외출하기 전에 하늘을 보고 날씨가 어떤지 알아보았다.

㉢ 나는 청소가 끝난 뒤 모둠을 대표하여 선생님께 보고를 드렸다.

힌트: '보고'의 자리에 '말이나 글로 알림'을 대신 넣어 읽어 보고 문장이 자연스럽지 않은 것을 찾아요.

(　　　　)

▶ 정답 및 해설 20쪽

2-1 밑줄 그은 낱말 중 다음 뜻을 지닌 낱말을 찾아 쓰세요.

한 번만 쓰고 버림. 또는 그런 것.

10월 1일부터 저희 매장에서는 환경 보호를 위해 일회용 플라스틱 빨대를 제공하지 않습니다. 차가운 음료 한 잔당 한 개의 종이 빨대가 제공되오니, 양해를 바랍니다.

( )

2-2 다음 사물들의 공통점은 무엇인지 찾아 ○표를 하세요.

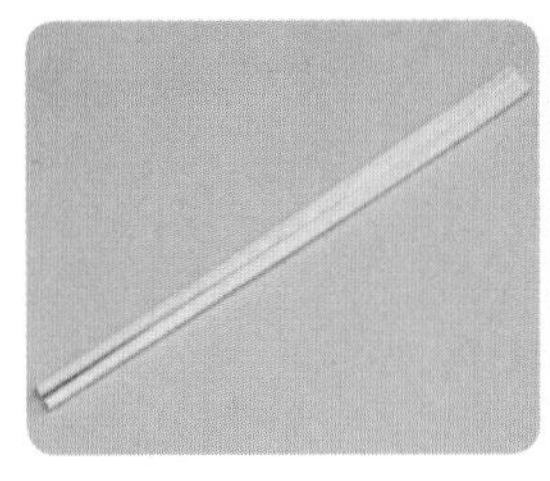
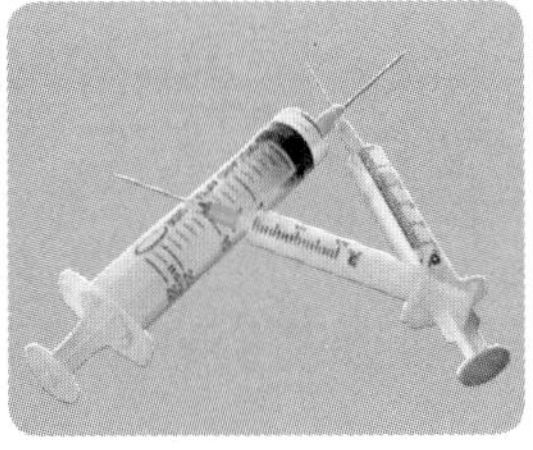

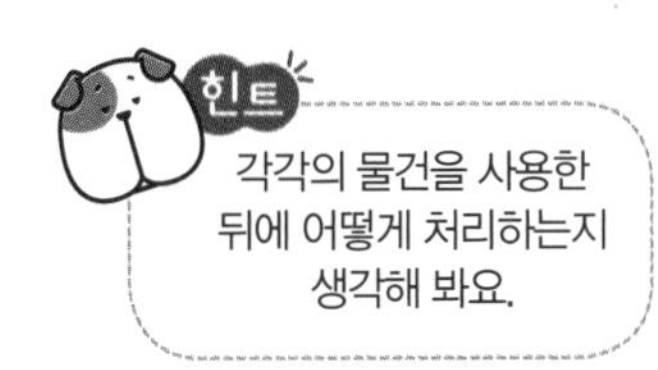

각각의 물건을 사용한 뒤에 어떻게 처리하는지 생각해 봐요.

(1) 한 번만 쓰고 버리는 물건이다. ( )

(2) 음식을 먹을 때 사용하는 물건이다. ( )

일기 (문학)

난중일기

공부한 날 월 일

글쓴이의 마음을 파악하는 방법에 대해 자세히 알아보기

천재 학습 백과

글을 읽고 글쓴이의 마음을 파악해라!

「난중일기」는 이순신이 임진왜란을 치르며 쓴 일기예요.
일기에는 글쓴이의 마음이 잘 드러나 있어요.
이순신이 아들 면의 죽음을 알게 된 날의 일기를 읽고
이순신의 마음을 파악해 보아요.

똑똑한 하루 독해 미리 보기

▶ 정답 및 해설 20쪽

◎ 오늘 공부할 글의 그림을 미리 보고, 빈칸에 알맞은 낱말을 각각 찾아 쓰세요.

간담　　조짐　　통곡　　통달

이순신은 아들 면이 나오는 이상한 꿈을 꾸고 무슨 ❶ ☐☐ 일지 걱정했어요.

(좋거나 나쁜 일이 생길 기미가 보이는 현상.)

그날 저녁, 이순신은 아들 면이 죽었다는 편지를 받고 ❷ ☐☐ 이 떨어져

(간과 쓸개를 아울러 이르는 말.)

❸ ☐☐ 하였어요. 이날 쓴 이순신의 일기를 살펴볼까요?

(소리를 높여 슬피 욺.)

「난중일기」에 대해 더 알아보기

난중일기

이순신 지음, 송찬섭 엮음

스스로 독해

편지를 받은 이순신의 마음은 어떠했을까요? 점선 부분을 따라 선을 그으며 읽어 보고 답을 생각해 보세요.

14일 맑다. 새벽 2시쯤 꿈에 내가 말을 타고 언덕 위를 가다가 말이 발을 헛디뎌 냇물 가운데 떨어졌는데 말이 거꾸러지지는 않았다. 그다음에 아들 면이 엎드려 나를 안는 듯하더니 깨었다. 이것이 무슨 조짐인지 모르겠다. 늦게 조방장 배흥립과 우후 이의득이 보러 왔다. 배흥립의 종이 경상도로부터 와서 적의 정세를 전하였다. 황득중 등이 와서 보고하기를 "내수사의 종 강막지라는 자가 소를 많이 기르기 때문에 왜놈들이 소 열두 마리를 끌고 갔습니다." 하였다.

저녁에 천안에서 온 어떤 사람이 집에서 보낸 편지를 전하는데, 봉함을 뜯기도 전에 온몸이 먼저 떨리고 정신이 어지러웠다. 거칠게 겉봉을 뜯고 열이 쓴 글씨를 보니 겉면에 '통곡' 두 자가 쓰여 있었다. 면이 적과 싸우다 죽었음을 알고, 간담이 떨어져 목 놓아 통곡하였다. 하늘이 어찌 이다지도 어질지 못하는가? 간담이 타고 찢어지는 것 같다. 내가 죽고 네가 사는 것이 이치에 마땅한데, 네가 죽고 내가 살았으니 어쩌다 이처럼 이치에 어긋났는가? 천지가 깜깜하고 해조차도 빛이 변했구나. 슬프다, 내 아들아! 나를 버리고 어디로 갔느냐! 영리하기가 보통을 넘어섰기에 하늘이 이 세상에 머물게 하지 않는 것이냐! 내가 지은 죄 때문에 화가 네 몸에 미친 것이냐! 내 이제 세상에서 누구에게 의지할 것이냐! 너를 따라 죽어서 지하에서 같이 지내고 같이 울고 싶지만 네 형, 네 누이, 네 어머니가 의지할 곳이 없으므로 아직은 참고 목숨을 이을 수밖에 없구나! 마음은 죽고 껍데기만 남은 채 울부짖을 따름이다. 하룻밤 지내기가 한 해를 지내는 것 같구나. 밤 10시쯤 비가 내렸다.

『난중일기-임진년 아침이 밝아 오다』(서해문집) 중에서

어휘 풀이

- **조짐**|조 조 兆, 나 짐 朕| 좋거나 나쁜 일이 생길 기미가 보이는 현상. 예 하늘이 흐린 것이 폭우가 쏟아질 조짐이다.
- **봉함**|봉할 봉 封, 봉할 함 緘| 편지를 봉투에 넣고 봉함. 또는 그 편지. 예 봉함 편지를 뜯어 내용을 확인했다.
- **통곡**|아플 통 痛, 울 곡 哭| 소리를 높여 슬피 욺. 예 그녀는 그와 헤어지며 통곡했다.
- **간담**|간 간 肝, 쓸개 담 膽| 간과 쓸개를 아울러 이르는 말. 예 사고 소식에 간담이 내려앉았다.
- **화**|재앙 화 禍| 모든 재앙. 예 간발의 차로 화를 면했다.

▶정답 및 해설 20쪽

서술형

1 이해

이순신이 꾼 꿈의 내용은 무엇인지 쓰세요.

이순신이 말을 타고 언덕 위를 가다가 말이 발을 헛디뎌 냇물 가운데 떨어졌는데 말이 거꾸러지지는 않았고, 그다음에 ______________________________ ______________________________ 깨었다.

2 이해

이 일기를 쓴 날의 날씨 변화로 알맞은 그림에 ◯표를 하세요.

(1) → ( )

(2) → ( )

스스로 독해 해결!

3 유추

이순신의 마음을 알맞게 말한 친구의 이름을 쓰세요.

슬퍼요.

유진

민석

힌트 이순신이 받은 편지의 내용을 떠올려 봐요.

( )

4 요약

이순신이 처한 상황을 중심으로 글의 내용을 정리하여 빈칸에 알맞은 말을 각각 쓰세요.

간밤에 이상한 꿈을 꾼 이순신은 아들 ❶ ☐ 이 적과 싸우다 죽었다는 소식이 담긴 ❷ ☐☐ 를 받고 목 놓아 통곡하였다.

▶정답 및 해설 20쪽

1

다음 낱말과 어울리는 그림을 각각 선으로 이으세요.

(1) **껍질** 물체의 겉을 싸고 있는 단단하지 않은 물질. •

(2) **껍데기** 달걀이나 조개 따위의 겉을 싸고 있는 단단한 물질. •

• ①

• ②

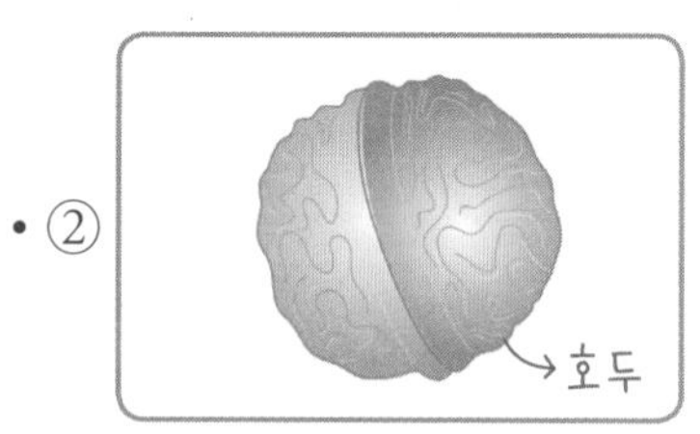

2

다음 문장에서 밑줄 그은 낱말의 뜻으로 알맞은 것에 ○표를 하세요.

너를 따라 죽어서 지하에서 같이 지내고 같이 울고 싶지만 네 형, 네 누이, 네 어머니가 <u>의지</u>할 곳이 없으므로 아직은 참고 목숨을 이을 수밖에 없구나!

(1) 어떠한 일을 이루고자 하는 마음. (　　　)

(2) 다른 것에 마음을 기대어 도움을 받음. 또는 그렇게 하는 대상. (　　　)

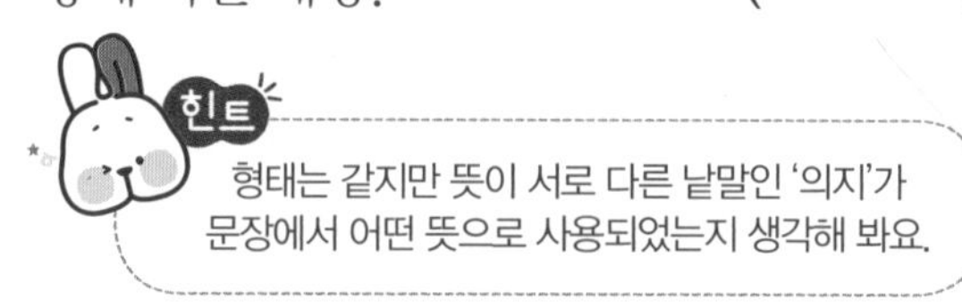

3

다음 문장에서 밑줄 그은 표현은 모두 '목'이라는 낱말이 들어간 관용 표현이에요. 각 표현의 뜻으로 알맞은 것을 각각 선으로 이으세요.

(1) 축구를 열심히 했더니 <u>목이 탄다</u>. •

(2) 민수는 반장이 되더니 <u>목에 힘을 주고</u> 다녔다. •

(3) 아들의 죽음을 알게 된 이순신은 <u>목 놓아</u> 울었다. •

• ① 거드름을 피우거나 남을 깔보는 듯한 태도를 취하고.

• ② 심하게 갈증을 느낀다.

• ③ 주로 울거나 부르짖을 때에 참거나 삼가지 않고 소리를 크게 내어.

재미있는 독해 게임으로 독해력 쑥쑥

▶정답 및 해설 20쪽

◉ 다음 만화를 보고, 이순신이 전투에 사용했던 배에 대한 설명으로 알맞은 말에 ◯표를 하세요.

이순신은 (1) (미국 , 일본)의 군사들과 맞서 싸우기 위해 (2) (거북선 , 자라선)을 전투에 사용했어요.

「난중일기」를 쓴 **이순신이 전투에 사용했던 배**에 대해서도 알아봅니다.

과학 (비문학)

키가 크는 데에도 때가 있다!

공부한 날 월 일

자료를 활용해
발표하는 방법에
대해 자세히
알아보기

천재 학습 백과

글에 사용된 자료를 해석해라!

글을 쓸 때 사진, 그림, 표, 도표 등 적절한 자료를 함께 제시하면
글을 읽는 사람들의 이해를 돕고 흥미를 끌 수 있답니다.
「키가 크는 데에도 때가 있다!」라는 글을 읽고 도표 자료를 이용해
이 글에서 전달하려는 내용은 무엇인지 생각해 보아요.

▶정답 및 해설 21쪽

● 오늘 공부할 글의 그림을 미리 보고, 빈칸에 알맞은 낱말을 보기 에서 각각 찾아 쓰세요.

보기

도표　　발표　　급성장　　급하강　　청소년기　　중장년기

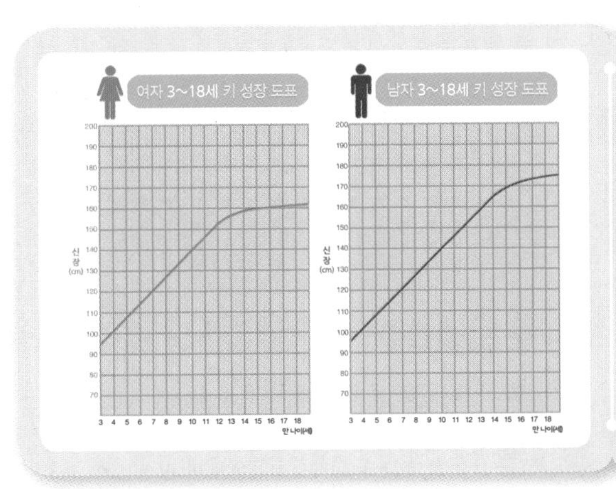

❶ 

여러 가지 자료를 분석하여 그 관계를 일정한 양식의 그림으로 나타낸 표.

예 만 3~18세까지 여자와 남자의 평균 키 성장 ○○를 보았다.

❷ 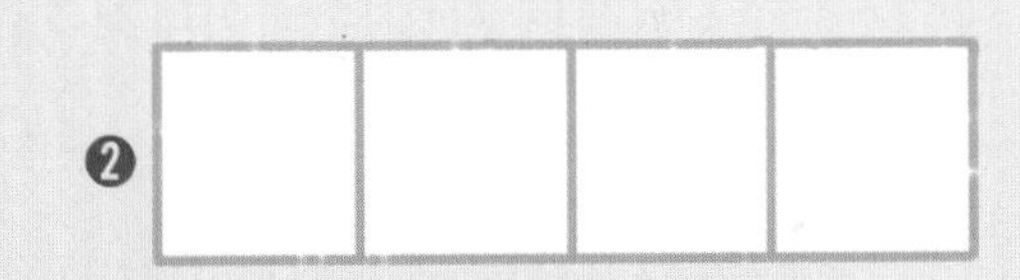

아동이 신체적·정신적·사회적으로 성인이 되어 가는 도중의 시기.

예 사람은 태어나서 ○○○○까지는 아주 빠르게 성장한다.

❸ 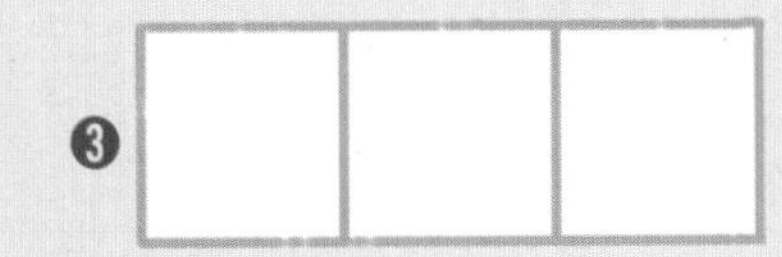

사물의 규모가 급격하게 커짐.

예 여자는 만 11~12세, 남자는 만 13~14세 때 1년에 키가 8~10센티미터나 자랄 정도로 ○○○ 시기를 맞는다.

청소년의 신체 발달에 대해 알아보기

키가 크는 데에도 때가 있다!

스스로 독해

이 글에서 도표를 통해 말하려고 한 내용은 무엇일까요? 도표를 함께 살펴보고, 점선 부분을 따라 선을 그으며 읽어 보고 답을 생각해 보세요.

우리의 키가 계속 조금씩 자란다면 키가 작아 고민하는 사람도 아마 없겠지? 하지만 키가 자라는 데에는 다 때가 있어. (㉠) 키가 크는 최적의 시기를 잘 알고 관리할 필요가 있지.

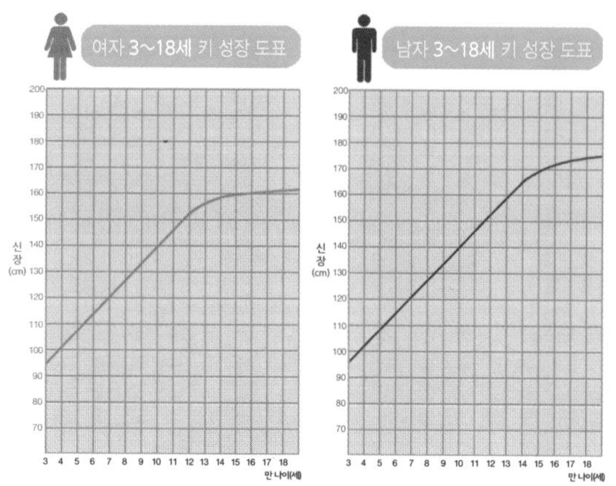

질병관리본부 소아 청소년 성장 도표(2017) 참고

왼쪽은 만 3~18세까지 여자와 남자의 평균 키 성장 도표인데, 두 성장 곡선 모두 초반에는 매우 가파르게 올라가다 어느 순간 완만해져. 이는 곧 우리 몸의 성장 속도가 초반에는 매우 빠르다가 어느 시기가 되면 느려진다는 걸 뜻해.

실제로 사람은 태어나서 청소년기까지는 아주 빠르게 성장해. 특히 여자는 만 11~12세, 남자는 만 13~14세 때 1년에 키가 8~10센티미터나 자랄 정도로 급성장 시기를 맞지. 하지만 이 시기가 지나면 성장 속도가 크게 줄어들어. 성장 곡선의 기울기가 눈에 띄게 완만해지는 것도 바로 이 때문이야. 이때부터 우리 몸은 천천히, 조금씩 자라서 남자는 평균 20세, 여자는 평균 17세쯤에 자신의 성인 키에 도달한다고 해. 간혹 20세가 지나도 크는 사람이 있지만 매우 드물고, 키가 커도 1~2센티미터에 불과해. 따라서 초등학교에 다니는 지금이 여러분의 키를 가장 많이 키울 수 있는 최적의 시기인 거야.

어휘 풀이

- **최적**|가장 최 最, 갈 적 適| 가장 알맞음. ㉮ 아라는 학급 회장을 맡기에 최적의 인물이다.
- **도표**|그림 도 圖, 겉 표 表| 여러 가지 자료를 분석하여 그 관계를 일정한 양식의 그림으로 나타낸 표.
- **완만**|느릴 완 緩, 게으를 만 慢|**해져** 경사가 급하지 않아져. ㉮ 이 고개만 올라가면 경사가 완만해져.
- **청소년기**|푸를 청 靑, 적을 소 少, 해 년 年, 기약할 기 期| 아동이 신체적·정신적·사회적으로 성인이 되어 가는 도중의 시기. ㉮ 청소년기에 다양한 경험을 해 보는 것이 좋다.
- **급성장**|급할 급 急, 이룰 성 成, 길 장 長| 사물의 규모가 급격하게 커짐. ㉮ 작년에 생긴 가게의 매출이 급성장하였다.

▶정답 및 해설 21쪽

1 문법

㉠ 안에 들어갈 말로 알맞은 것은 무엇인가요? (　　　　)

① 또는　　② 하지만　　③ 그러나

④ 그래서　　⑤ 그렇지만

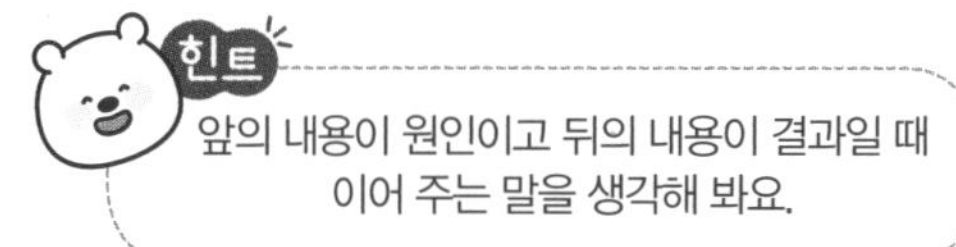

스스로 독해 해결! 서술형

2 이해

이 글에 제시된 도표가 의미하는 것을 쓰세요.

우리 몸의 성장 속도가 초반에는 매우 빠르다가 ________________
________________ 것을 뜻한다.

3주 2일

3 이해

다음은 초등학교 6학년 학생인 두 친구의 대화입니다. 바르게 말한 친구는 누구인지 쓰세요.

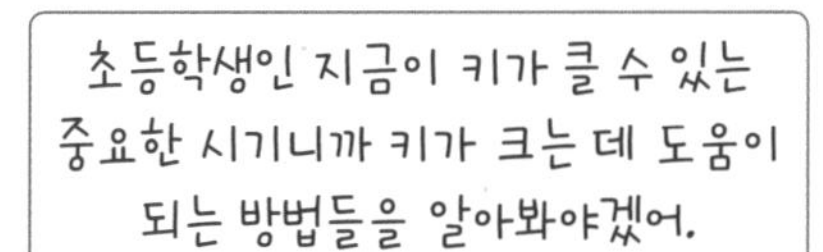

키는 20세쯤에 가장 많이
자란다고 했으니까 지금은 성장에
크게 신경 쓰지 않아도 돼.

(　　　　　　)

4 요약

키가 크는 시기를 중심으로 이 글에서 중요한 내용을 정리하여 빈칸에 각각 쓰세요.

- 사람은 태어나서 청소년기까지는 아주 빠르게 ❶ ☐☐ 한다.
- 여자는 만 11~12세, ❷ ☐☐ 는 만 13~14세에 급성장 시기를 맞고, 이 시기가 지나면 성장 속도가 크게 줄어든다.
- 남자는 평균 20세, 여자는 평균 17세쯤에 자신의 ❸ ☐☐ 키에 도달한다.

▶정답 및 해설 21쪽

1

보기 를 보고, 다음 낱말의 빈칸에 공통으로 들어갈 글자는 무엇인지 쓰세요.

보기

청소년기 아동이 신체적 · 정신적 · 사회적으로 성인이 되어 가는 도중의 시기.

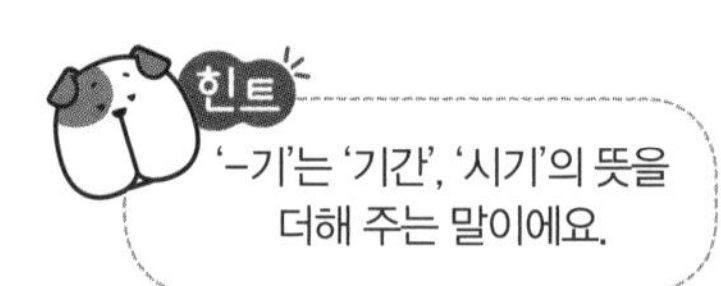

- 유아 [ ] : 만 1세부터 6세까지의 어린 시기.
- 청년 [ ] : 대개 20대 전후의 시기.
- 노년 [ ] : 늙은이가 되어 지내는 시기.

( )

2

다음 문장에서 밑줄 그은 낱말의 뜻을 나타내는 그림으로 알맞은 것을 각각 선으로 이으세요.

(1) <u>완만하게</u> 경사진 산책로를 걸었다. •

• ①

(2) 지난주에 오른 산은 너무 <u>가팔라서</u> 힘이 많이 들었다. •

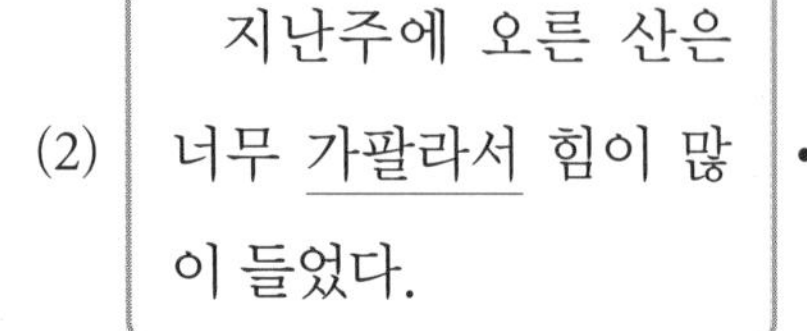

• ②

▶정답 및 해설 21쪽

● 다음 길 찾기 놀이를 하면서 키가 크는 데에 도움이 되는 방법을 알아보아요.

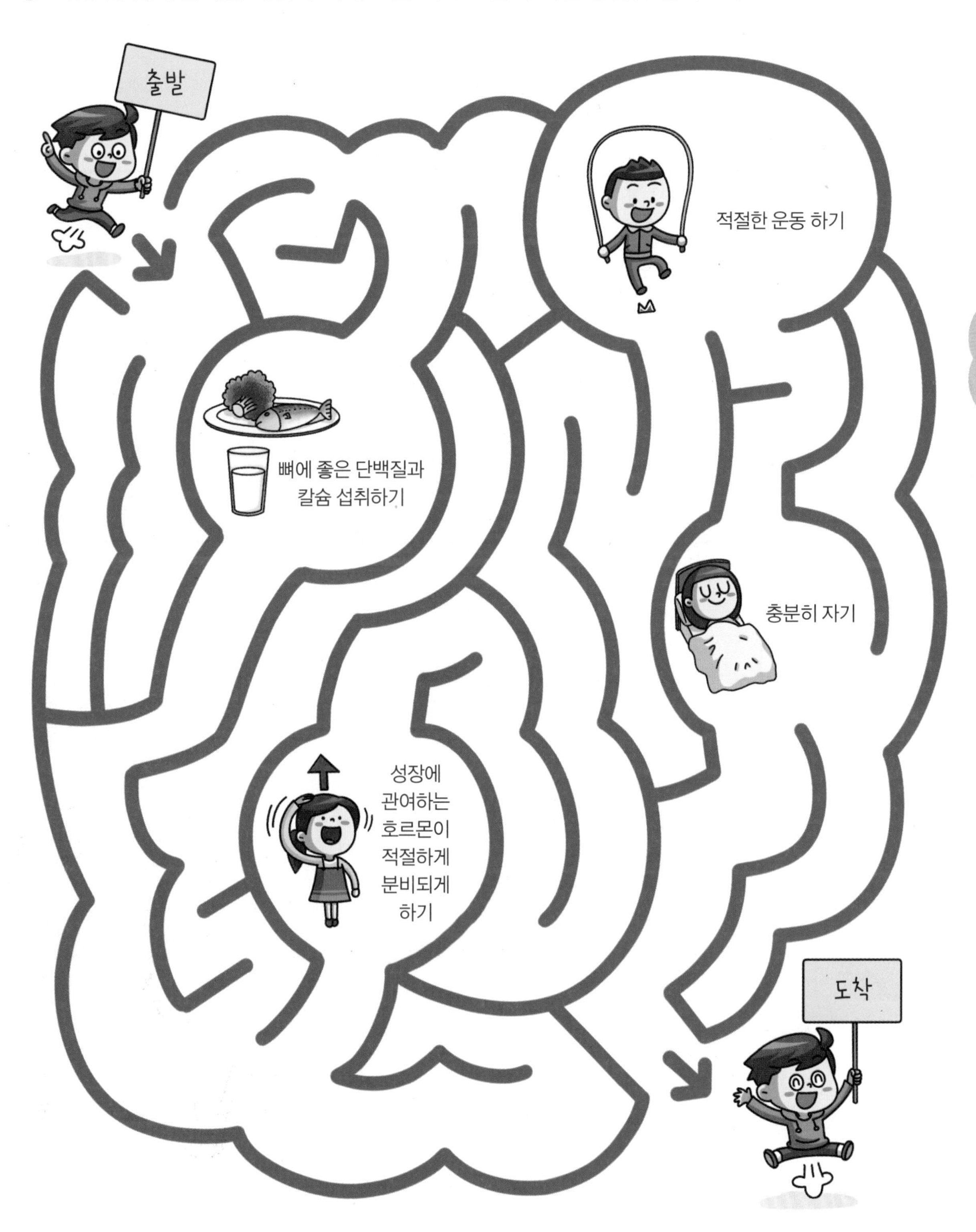

「키가 크는 데에도 때가 있다!」를 읽으며 키가 크기 위한 최적의 시기를 알아보고, 길 찾기 놀이를 하며 **키가 크는 데에 도움이 되는 방법**도 알아봅니다.

3주 3일

동시 (문학)

하회탈

공부한 날 월 일

동형어에 대해
자세히 알아보기

시를 읽고 동형어의 뜻을 구분해라!

형태는 같지만 뜻이 다른 낱말을 동형어라고 해요.

「하회탈」은 이러한 동형어를 사용해서 재미를 더한 시이지요.

시의 어느 부분에 동형어가 사용되었는지,

사용된 동형어의 뜻은 무엇인지 생각하며 시를 감상해 보아요.

▶정답 및 해설 22쪽

● 오늘 공부할 글과 그림을 미리 보고, 알맞은 낱말을 각각 찾아 표시하세요.

1 '고려 · 조선 시대에, 지배층을 이루던 신분.'이라는 뜻의 낱말을 찾아 ○표를 하세요.

2 '예전에, 학식은 있으나 벼슬하지 않은 사람을 이르던 말.'이라는 뜻의 낱말을 찾아 △표를 하세요.

3 '갓 결혼한 여자.'라는 뜻의 낱말을 찾아 □표를 하세요.

여러 가지 탈에
대하여
알아보기

하회탈

김귀자

스스로 독해

( ) 속 낱말을 모두 색칠해 보세요. 글자는 같지만 뜻이 다른 낱말을 사용해서 시에 재미를 준 부분이에요.

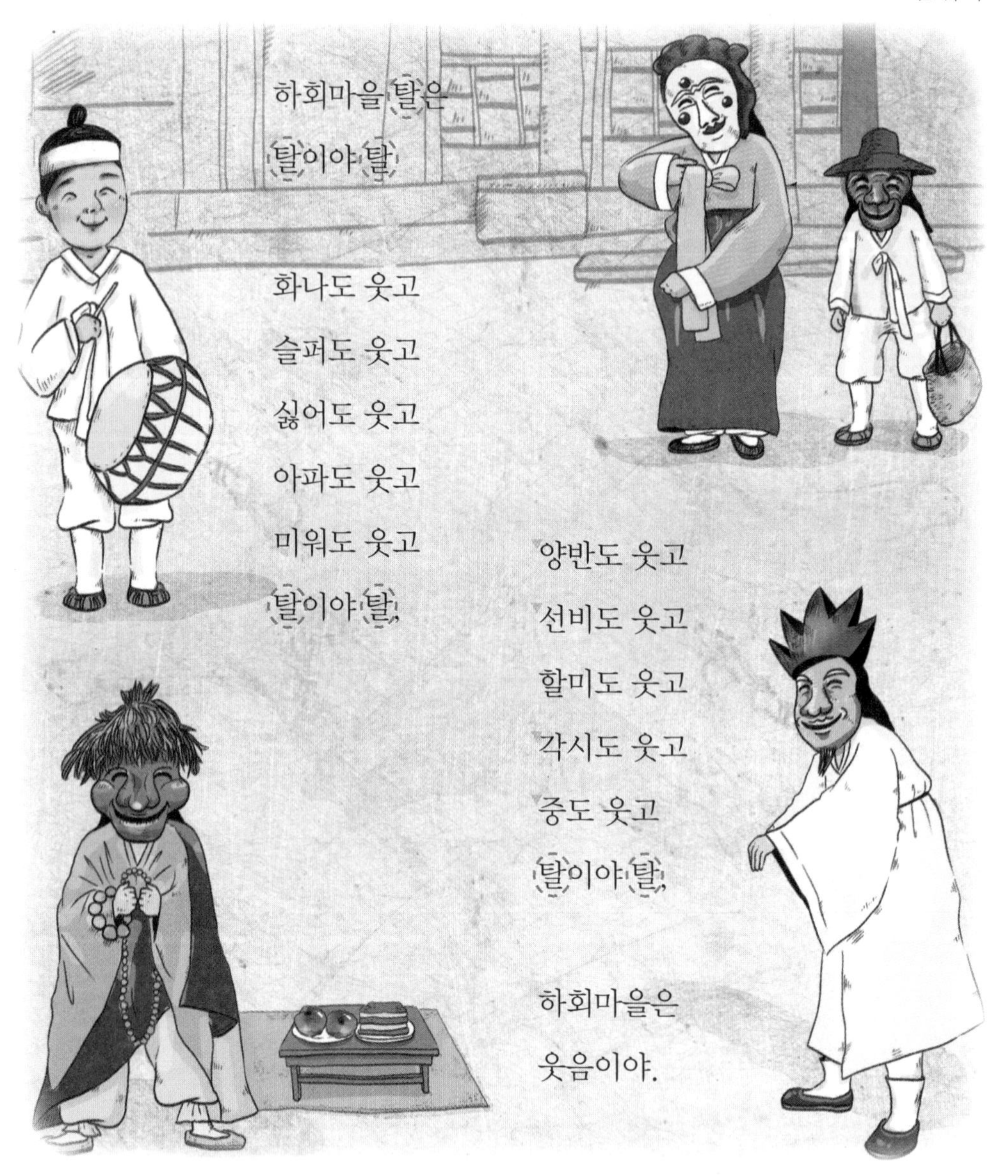

하회마을 탈은
탈이야 탈.

화나도 웃고
슬퍼도 웃고
싫어도 웃고
아파도 웃고
미워도 웃고
탈이야 탈.

양반도 웃고
선비도 웃고
할미도 웃고
각시도 웃고
중도 웃고
탈이야 탈.

하회마을은
웃음이야.

어휘 풀이

- **탈** 얼굴을 감추거나 달리 꾸미기 위하여 나무, 종이, 흙 따위로 만들어 얼굴에 쓰는 물건.
  예 탈을 얼굴에 쓰고 연기를 했다.
- **양반**[두 양 兩, 나눌 반 班] 고려·조선 시대에, 지배층을 이루던 신분. 예 옆집 돌이가 양반 행세를 했다.
- **선비** 예전에, 학식은 있으나 벼슬하지 않은 사람을 이르던 말. 예 김 선비는 동네에서 사람들의 칭찬이 자자했다.
- **각시** 갓 결혼한 여자. 예 각시는 수줍게 고개를 숙였다.
- **중** 절에서 살면서 불도를 닦고 실천하며 종교를 널리 알리는 사람.
  예 절에서 마주친 중이 두 손바닥을 모으며 인사를 했다.

▶ 정답 및 해설 22쪽

스스로 독해 해결!

1 어휘

다음은 어떤 낱말의 뜻인지 이 시에 사용된 낱말 중 빈칸에 공통으로 들어갈 알맞은 낱말을 고르세요. (   )

> [ ] 1 「명사」 얼굴을 감추거나 달리 꾸미기 위하여 나무, 종이, 흙 따위로 만들어 얼굴에 쓰는 물건. ≒가면, 마스크, 면구.
> [ ] 2 「명사」 결함이나 허물.

① 탈　② 화　③ 웃고
④ 미워도　⑤ 하회마을

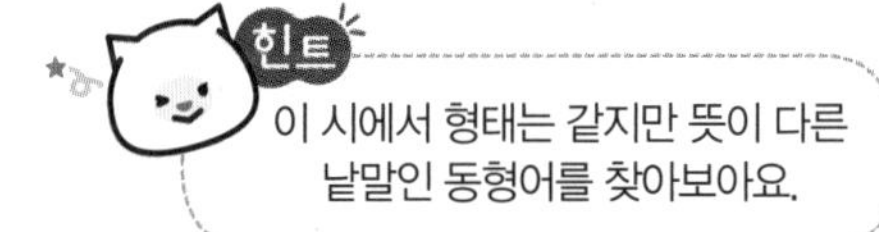

3주 3일

2 유추

이 시에 나타난 하회마을 탈의 표정을 알맞게 따라한 친구에 ○표를 하세요.

(1)  (   )

(2)  (   )

서술형

3 이해

이 시에서 하회마을 탈과 하회마을을 각각 무엇이라고 했는지 쓰세요.

> 하회마을 탈은 (1) ____________이고, 하회마을은 (2) ____________

4 요약

이 시의 내용을 정리하여 빈칸에 알맞은 말을 각각 쓰세요.

> 하회마을 탈은 화나도, 슬퍼도, 싫어도, 아파도, ❶ [ ][ ][ ] 웃어서 탈이고, 양반탈도, 선비탈도, 할미탈도, 각시탈도, ❷ [ ] 탈도 웃어서 탈이다.

▶정답 및 해설 22쪽

1 낱말 '각시탈'의 뜻을 읽고, '각시탈'의 모습으로 알맞은 그림에 ○표를 하세요.

> **각시탈** 연지·곤지를 찍어 화장한 여성의 얼굴 모양으로 만든 나무탈.

(1) (   )

(2) (   )

힌트 '각시'는 갓 결혼한 여자를 이르는 말이에요.

2 보기 와 같이 문장에서 밑줄 그은 낱말을 각각 바르게 고쳐 쓰세요.

보기

하회마을 탈은 <u>시러도</u> 웃는다.
↓
하회마을 탈은 <u>싫어도</u> 웃는다.

(1)

책 내용을 <u>훌터</u> 보았다.
↓
책 내용을 (   ) 보았다.

(2)

<u>절믄</u> 남자가 혼자 서 있다.
↓
(   ) 남자가 혼자 서 있다.

▶ 정답 및 해설 22쪽

경상북도 안동시에서는 매년 탈을 쓰고 하는 놀이인 하회 별신굿 탈놀이가 열려요. 하회 별신굿 탈놀이의 한 장면을 보고, 숨은그림찾기를 해 보세요.

찾아야 할 그림: 병, 책, 가위, 도토리, 은행잎

동시 「하회탈」을 읽으며 각 탈의 모습을 떠올려 보고, **하회 별신굿 탈놀이의 한 장면**을 보며 숨어 있는 그림을 모두 찾아 표시해 봅니다.

3주 4일

역사 (비문학)

하여가와 단심가

공부한 날 월 일

조선의 건국 과정에 대해 자세히 알아보기

천재 학습 백과

시나 이야기에 담긴 역사적 배경을 떠올려라!

문학 작품 중에서는 역사적 배경을 바탕으로 쓴 것들이 많이 있어요.
「하여가」와 「단심가」는 역사적 배경을 바탕으로 한 대표적인 시조들이지요.
조선이 세워지던 당시의 역사적 배경을 파악하며 「하여가와 단심가」를 읽으면 시조에 담긴 이방원과 정몽주의 뜻을 더 잘 이해할 수 있지요.

▶정답 및 해설 23쪽

◉ 오늘 공부할 글의 그림을 미리 보고, 빈칸에 알맞은 낱말을 각각 찾아 쓰세요.

충신　　간신　　개혁　　개방

고려 말기, 이성계와 정몽주는 ❶ [　][　] 에 대해 서로 다른 생각을 가지고 있었어요. 고려를 무너뜨리고 새로운 나라를 세우자는 이성계와 달리 고려의 ❷ [　][　] 정몽주는 고려를 유지하고자 했지요. 이러한 역사적 배경을 떠올리며 이성계의 아들 이방원과 정몽주가 주고받은 시조의 의미를 알아볼까요?

❶ 제도나 기구 따위를 새롭게 뜯어고침.

❷ 나라와 임금을 위하여 충성을 다하는 신하를 이름.

조선이 세워질 무렵 무슨 일이 있었다고?

「단심가」에 대하여 자세히 알아보기

하여가와 단심가

스스로 독해

「하여가」와 「단심가」라는 시조와 관계있는 역사적 배경은 무엇인가요? 점선 부분을 따라 선을 그으며 읽고 답을 생각해 보세요.

이성계가 고려를 무너뜨리고 조선을 세우려고 할 당시 고려의 충신 정몽주는 고려를 그대로 유지하면서 개혁을 이루어 나가야 한다고 주장했었어요. 이성계는 정몽주를 없애지 않고는 새로운 나라를 세울 수 없다고 생각했지요. 이러한 이성계의 생각을 읽은 사람이 이성계의 다섯째 아들 이방원이었어요. 이방원은 정몽주를 설득하여 이성계 편으로 끌어오기 위해 정몽주를 집으로 초대했어요. 몇 차례 술잔이 오간 뒤, 이방원은 낮은 목소리로 시조를 읊었어요.

> 이런들 어떠하며 저런들 어떠하리
> 만수산 드렁칡이 얽혀진들 어떠하리
> 우리도 이같이 얽혀 백 년까지 누리리

이 시조는 후대에 「하여가」라고 불리게 되었어요. 다 썩어 가는 고려를 붙들고 있을 것이 아니라 새로운 세력과 힘을 합쳐 칡넝쿨처럼 얽혀 살아가자는 내용을 담고 있지요. 그러나 정몽주는 단호한 표정을 지으며 시조를 읊어 답을 했어요.

> 이 몸이 죽고 죽어 일백 번 고쳐 죽어
> 백골이 진토 되어 넋이라도 있고 없고
> 임 향한 ㉠일편단심이야 가실 줄이 있으랴

죽어서도 고려 임금을 향한 충성심을 저버리지 않겠다는 내용을 담은 이 시조는 후대에 「단심가」라고 불리게 되었지요.

어휘 풀이

- **충신**| 충성 충 忠, 신하 신 臣 | 나라와 임금을 위하여 충성을 다하는 신하를 이름. 예 임금은 충신의 말을 귀담아 들었다.
- **개혁**| 고칠 개 改, 가죽 혁 革 | 제도나 기구 따위를 새롭게 뜯어고침. 예 토지 제도를 개혁했다.
- **만수산**| 일만 만 萬, 목숨 수 壽, 뫼 산 山 | 개성 북쪽에 있는 산. 송악산의 다른 이름.
- **드렁칡** 드렁(두렁의 방언)에 있는 칡넝쿨.
- **백골**| 흰 백 白, 뼈 골 骨 | 죽은 사람의 몸이 썩고 남은 뼈. 예 숲속에서 백골이 발견되었다.
- **진토**| 티끌 진 塵, 흙 토 土 | 티끌과 흙을 통틀어 이르는 말. 예 땅에 묻은 천 조각은 썩어 진토가 되었다.
- **일편단심**| 하나 일 一, 조각 편 片, 붉을 단 丹, 마음 심 心 | 한 조각의 붉은 마음이라는 뜻으로, 진심에서 우러나오는 변치 않는 마음을 이르는 말. 예 너를 향한 나의 마음은 일편단심이야.

▶정답 및 해설 23쪽

스스로 독해 해결!

1 이해

다음 중 「하여가」와 「단심가」가 지어질 당시의 역사적 배경을 알맞게 말한 친구의 이름에 ◯표를 하세요.

고려를 유지하면서 개혁을 하려는 신하들과 고려를 무너뜨리고 새로운 나라를 세우려는 신하들이 갈등을 겪었어.

모든 신하들이 힘을 합쳐 고려의 임금을 몰아내고 새로운 나라를 세우고자 뜻을 모았지.

현우

은지

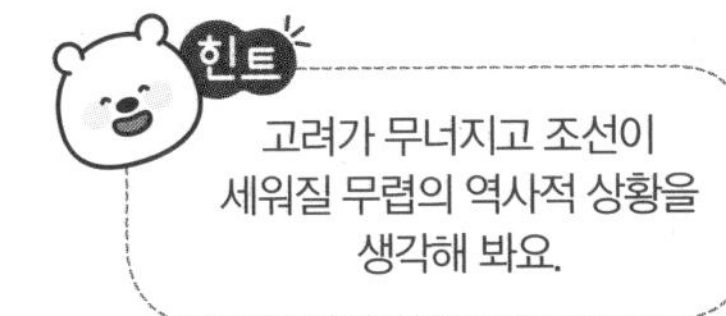

서술형

2 이해

이방원이 정몽주를 집으로 초대한 까닭을 쓰세요.

정몽주를 설득하여 ________________________
위해 정몽주를 집으로 초대하였다.

3 어휘

㉠'일편단심'이라는 말을 바르게 사용한 문장에 ◯표를 하세요.

(1) 장난감 가게에서 팽이를 사면 제기를 함께 주는 일편단심의 행사를 하고 있다. (　　　)

(2) 이야기 속 주인공이 힘든 상황에서도 일편단심으로 연인을 사랑하는 장면은 정말 감동적이었다. (　　　)

4 요약

시조 「하여가」와 「단심가」에 담긴 인물의 생각을 중심으로 이 글의 내용을 정리하여 빈칸에 알맞은 말을 각각 쓰세요.

이방원은 ❶ ☐☐ 를 붙들고 있지 말고 새로운 세력과 힘을 합쳐 ❷ ☐☐☐ 처럼 얽혀 살아가자는 뜻을 담아 「하여가」를 지었고, 정몽주는 고려 ❸ ☐☐ 을 향한 충성심을 저버리지 않겠다는 뜻을 담아 「단심가」를 지었다.

▶ 정답 및 해설 23쪽

1 다음 문장의 빈칸에 들어갈 알맞은 낱말을 보기 에서 각각 찾아 쓰세요.

보기

경쟁심 남과 겨루어 이기거나 앞서려는 마음.

동정심 남의 어려운 처지를 안타깝게 여기는 마음.

충성심 임금이나 국가에 대하여 진정으로 우러나오는 정성스러운 마음.

자부심 자기 자신 또는 자기와 관련되어 있는 것에 대하여 스스로 그 가치나 능력을 믿고 당당히 여기는 마음.

(1) 정몽주는 고려 임금에 대한 ☐☐☐ 이 깊었다.

(2) 텔레비전에서 어려운 사람들을 보고 ☐☐☐ 이 들었다.

(3) 우빈이는 반에서 달리기가 가장 빠르다는 ☐☐☐ 이 있다.

(4) 미혜는 선우에게 ☐☐☐ 을 느껴 이번 시합에서 반드시 선우를 이기겠다고 다짐하였다.

힌트 '-심'은 '마음'의 뜻을 더해 주는 말이에요.

2 다음 문장의 밑줄 그은 낱말의 빈칸에 들어갈 겹받침을 보기 에서 각각 찾아 쓰세요.

보기

ㄳ　　ㄺ　　ㄿ

(1) 새로운 세력과 힘을 합쳐 치넝쿨처럼 얽혀 살아가자. (　　　)
→ 칡의 벋은 덩굴.

(2) 정몽주는 단호한 표정을 지으며 시를 으었다. (　　　)
→ 억양을 넣어서 소리를 내어 시를 읽거나 외었다. 또는 시를 지었다.

(3) 백골이 진토 되어 너이라도 있고 없고 / 임 향한 일편단심이야 가실 줄이 있으랴 (　　　)
→ 사람의 몸 안에서 몸과 정신을 다스리며, 몸이 죽어도 영원히 남아 있다는 보이지 않는 존재.

▶ 정답 및 해설 23쪽

◉ 끝까지 자신의 뜻을 굽히지 않았던 정몽주의 마음을 잘 나타내는 한자 성어인 '일편단심'은 어떤 한자로 이루어진 말인지 그림에 맞는 한자를 찾아 써 보세요.

그림	(단추)	(단추)	(단추)	(단추)	(단추)	(단추)
나타내는 한자	日	短	心	一	片	丹

고려 임금을 향한 정몽주의 마음을 나타내는 한자 성어는 '　　　　(일편단심)'이에요.

「하여가와 단심가」를 읽고 정몽주의 마음을 떠올려 보고, **'일편단심'이라는 말이 어떤 한자로 이루어져 있는지** 생각하며 한자를 따라 써 봅니다.

3주 5일

생활 속 독해

종이 빨대 제공 안내

공부한 날 월 일

안내문에 제공된 정보를 실생활에 적용해라!

안내문을 읽을 때에는 실생활에 활용할 수 있는 정보를 찾아보며 읽으면 좋아요.
「종이 빨대 제공 안내」를 읽으면 종이 빨대가 언제부터 제공되는지,
더 싸게 주스를 사 먹을 수 있는 방법은 무엇인지 등을 알 수 있지요.

똑똑한

하루 독해 미리 보기

▶정답 및 해설 24쪽

◉ 오늘 공부할 글의 그림을 미리 보고, 빈칸에 알맞은 낱말을 보기 에서 각각 찾아 쓰세요.

보기

제공　　동참　　할인　　방침

❶ 

어떤 모임이나 일에 같이 참가함.

예 환경 보호에 ○○해 주세요.

❷ 

무엇을 내주거나 갖다 바침.

예 환경 보호를 위해 일회용 플라스틱 빨대를 ○○하지 않습니다.

❸ 

일정한 값에서 얼마를 뺌.

예 개인 컵 사용 시 음료 한 잔당 300원의 ○○ 혜택을 드립니다.

어떻게 하면 주스를 싸게 준다고?

환경 오염 예방 방법에 대해 알아보기

스스로 독해

천재주스에 방문할 때, 할인 혜택을 적용받으려면 어떻게 해야 할까요? 점선 부분을 따라 선을 그으며 읽고 답을 생각해 보세요.

천재주스가 종이 빨대 제공 매장으로 바뀝니다!

▼환경 보호에 ▼동참해 주세요!

10월 1일부터 저희 매장에서는 환경 보호를 위해 ▼일회용 플라스틱 빨대를 ▼제공하지 않습니다. ㉠차가운 음료 한 잔당 한 개의 종이 빨대가 제공되오니, ▼양해를 바랍니다. 또한, ▼기존 ▼방침대로 매장 내 일회용 컵 사용은 금지되어 있으며, 개인 컵 사용 시 음료 한 잔당 300원의 ▼할인 ▼혜택을 드리니 많은 참여 부탁드립니다.

어휘 풀이

- ▼ **환경 보호** | 고리 환 環, 지경 경 境, 보전할 보 保, 보호할 호 護 | 자연환경의 오염을 막아 위생적이고 쾌적한 생활을 유지하기 위하여 환경을 잘 가꾸고 깨끗이 보존하는 일. 예 우리 모두 환경 보호에 앞장서자.
- ▼ **동참** | 같을 동 同, 참여할 참 參 | 어떤 모임이나 일에 같이 참가함. 예 모금 운동에 동참했다.
- ▼ **일회용** | 하나 일 一, 돌아올 회 回, 쓸 용 用 | 한 번만 쓰고 버림. 또는 그런 것. 예 일회용 나무젓가락을 쓰고 버렸다.
- ▼ **제공** | 끌 제 提, 이바지할 공 供 | 무엇을 내주거나 갖다 바침. 예 정보 제공을 요청했다.
- ▼ **양해** | 믿을 양 諒, 풀 해 解 | 남의 사정을 잘 헤아려 너그러이 받아들임. 예 몸이 아파서 선생님께 조퇴를 해도 되겠냐고 양해를 구했다.
- ▼ **기존** | 이미 기 旣, 있을 존 存 | 이미 존재함. 예 기존의 규칙을 바꾸기 위해 회의를 했다.
- ▼ **방침** | 모 방 方, 바늘 침 針 | 앞으로 일을 치러 나갈 방향과 계획. 예 교육 방침이 바뀌었다.
- ▼ **할인** | 나눌 할 割, 끌 인 引 | 일정한 값에서 얼마를 뺌. 예 물건을 사고 천 원의 할인을 받았다.
- ▼ **혜택** | 은혜 혜 惠, 못 택 澤 | 은혜와 덕택을 아울러 이르는 말. 예 우리는 문명의 혜택 속에 살고 있다.

▶ 정답 및 해설 24쪽

서술형

1 이해

매장에서 일회용 플라스틱 빨대를 제공하지 않는 까닭을 쓰세요.

_______________________ 위해서 일회용 플라스틱 빨대를 제공하지 않는다.

2 어휘

㉠'차가운'과 뜻이 반대인 낱말은 무엇인가요? (　　　)

① 뜨거운　② 서늘한　③ 시원한
④ 촉촉한　⑤ 싸늘한

스스로 독해 해결!

3 유추

다음은 천재주스 메뉴판의 일부입니다. 개인 컵을 사용해 사과 주스를 샀을 때의 가격은 얼마인가요? (　　　)

메뉴	가격
딸기 주스	3,000원
바나나 주스	2,800원
복숭아 주스	3,500원
사과 주스	3,200원
수박 주스	3,000원
키위 주스	3,700원

① 2,500원
② 2,700원
③ 2,900원
④ 3,200원
⑤ 3,400원

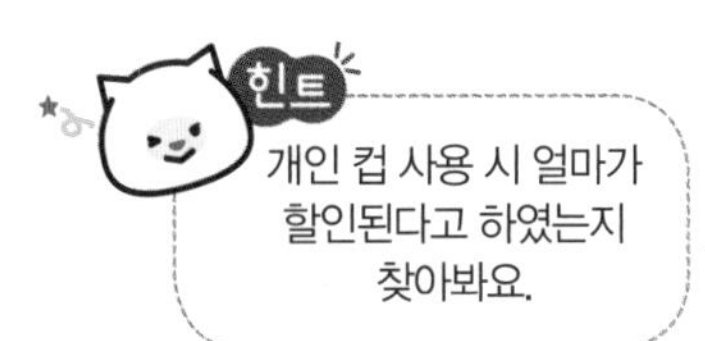

4 요약

이 글에서 알리려는 내용을 정리하여 빈칸에 알맞은 말을 각각 쓰세요.

- 10월 1일부터 ❶ □□ □□ 제공
  (차가운 음료 한 잔당 한 개)
- 매장 내 일회용 컵 사용 금지
- ❷ □□ □ 사용 시 300원 할인

▶정답 및 해설 24쪽

1 **다음 문장에서 밑줄 그은 낱말을 바르게 소리 내어 읽은 것에 ○표를 하세요.**

(1) 6월까지 수학 경시대회 참가 신청을 받는다.

→ [유월 , 육월]

(2) 10월부터 일회용 플라스틱 빨대를 제공하지 않는다.

→ [시월 , 십월]

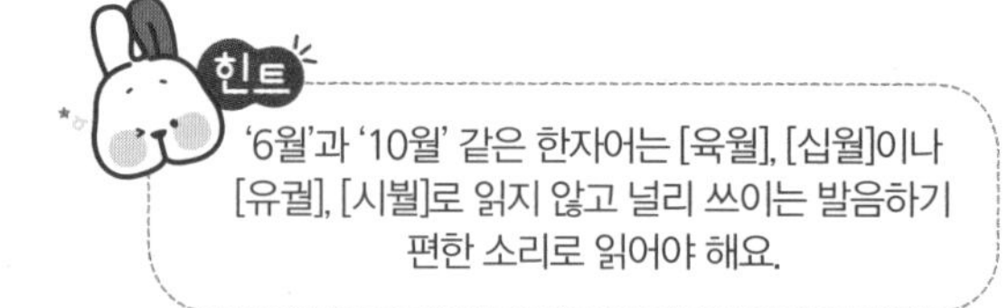

2 **보기 와 같이 물건을 세는 낱말로 알맞은 말을 찾아 ○표를 하세요.**

보기

오렌지 주스 한 (㉠잔, 그릇)을 마셨다.

(1) 

길을 걷다 동전 세 (닢 , 장)을 주웠다.

(2) 

배가 고파 허겁지겁 밥 한 (술 , 척)을 떠 입에 넣었다.

(3) 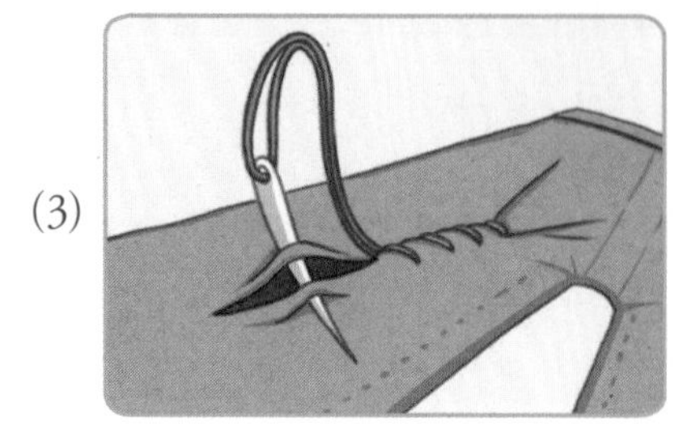

바느질 몇 (땀 , 벌)만 하면 찢어진 옷을 꿰맬 수 있을 것이다.

▶정답 및 해설 24쪽

천재주스에서는 주스와 함께 각종 먹을거리도 함께 팔아요. 천재주스에 간식을 사러 가 오만 원을 낸 영민이는 거스름돈으로 얼마를 받아야 하는지 계산하여 쓰세요.

영민이가 산 크루아상 두 개, 초콜릿 쿠키 세 개, 딸기 케이크 한 조각의 가격을 더하면 (1) ______ 원이에요. 50,000 − (2) ______ = (3) ______ 이므로 영민이는 (4) ______ 원을 거슬러 받아야 해요.

「종이 빨대 제공 안내」를 읽고, 매장에서 물건을 살 때 일어날 수 있는 또 다른 상황을 떠올리며 **물건의 가격을 살펴보고 거스름돈을 계산**해 봅니다.

누구나 100점 테스트

[1~3] 다음 글을 읽고, 물음에 답하세요.

(가) 저녁에 천안에서 온 어떤 사람이 집에서 보낸 편지를 전하는데, ㉠봉함을 뜯기도 전에 온몸이 먼저 떨리고 정신이 어지러웠다. 거칠게 겉봉을 뜯고 열이 쓴 글씨를 보니 겉면에 '㉡통곡' 두 자가 쓰여 있었다. 면이 적과 싸우다 죽었음을 알고, ㉢간담이 떨어져 목 놓아 통곡하였다.

(나) 너를 따라 죽어서 지하에서 같이 지내고 같이 울고 싶지만 네 형, 네 누이, 네 어머니가 ㉣의지할 곳이 없으므로 아직은 참고 목숨을 이을 수밖에 없구나! 마음은 죽고 껍데기만 남은 채 울부짖을 따름이다.

1 **이순신은 어떤 상황에 처해 있나요? (　　　　)**

① 전쟁에서 크게 패했다.
② 적에게 포로로 잡혔다.
③ 아들 면이 적과 싸우다 죽었다.
④ 어머니께서 병에 걸려 돌아가셨다.
⑤ 아끼는 부하가 적과 싸우다 죽었다.

2 **이 글에서 느껴지는 이순신의 마음으로 가장 알맞은 것을 골라 ○표를 하세요.**

(1) 뿌듯하고 자랑스럽다. (　　　)
(2) 가슴이 아프고 슬프다. (　　　)

3 **㉠~㉣ 중 다음 뜻을 지닌 낱말의 기호를 쓰세요.**

간과 쓸개를 아울러 이르는 말.

(　　　　　　)

[4~5] 다음 글을 읽고, 물음에 답하세요.

아래는 만 3~18세까지 여자와 남자의 평균 키 성장 도표인데, 두 성장 곡선 모두 초반에는 매우 가파르게 올라가다 어느 순간 완만해져. 이는 곧 우리 몸의 성장 속도가 초반에는 매우 빠르다가 어느 시기가 되면 느려진다는 걸 뜻해.

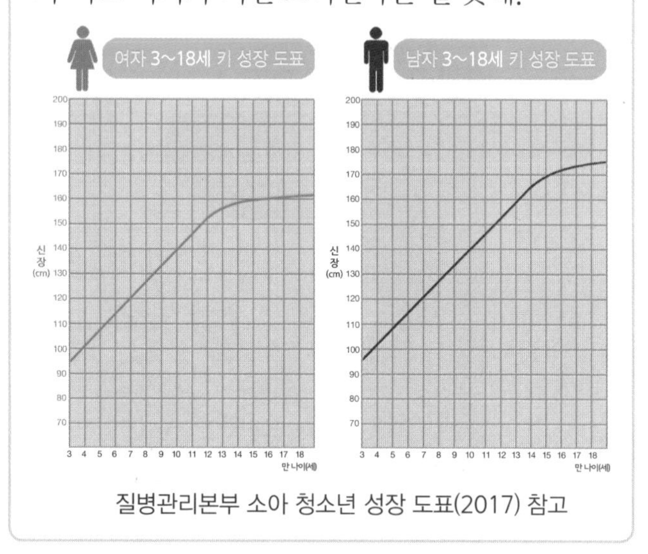

질병관리본부 소아 청소년 성장 도표(2017) 참고

4 **이처럼 글을 쓸 때 적절한 자료를 사용하면 좋은 점으로 알맞은 것을 골라 ○표를 하세요.**

(1) 글을 읽는 사람들의 이해를 돕고 흥미를 끌 수 있다. (　　　)
(2) 읽는 사람의 경험이나 생각에 따라 다양하게 해석될 수 있다. (　　　)

5 **이 도표를 통해 알 수 있는 내용을 바르게 말한 친구의 이름을 쓰세요.**

경민: 남녀 모두 18세부터 급성장 시기를 맞는구나.
호정: 두 성장 곡선 모두 초반에는 매우 가파르게 올라가다 어느 순간 완만해지네.

(　　　　　　)

▶정답 및 해설 24쪽

6 다음 '탈'과 같이 형태는 같지만 뜻이 다른 낱말을 무엇이라고 하는지 세 글자로 쓰세요.

> 탈[1] 「명사」 얼굴을 감추거나 달리 꾸미기 위하여 나무, 종이, 흙 따위로 만들어 얼굴에 쓰는 물건. ≒ 가면, 마스크, 면구.
> 탈[2] 「명사」 결함이나 허물.

( )

[7~8] 다음 글을 읽고, 물음에 답하세요.

> 이방원은 정몽주를 설득하여 이성계 편으로 끌어오기 위해 정몽주를 집으로 초대했어요. 몇 차례 술잔이 오간 뒤, 이방원은 낮은 목소리로 시조를 읊었어요.
>
> ㉮ 이런들 어떠하며 저런들 어떠하리
> 만수산 드렁칡이 얽혀진들 어떠하리
> 우리도 이같이 얽혀 백 년까지 누리리
>
> 이 시조는 후대에 「하여가」라고 불리게 되었어요.

7 이방원이 읊은 시조 ㉮의 제목은 무엇인지 골라 ○표를 하세요.

(하여가 , 단심가)

8 시조 ㉮에 대한 설명으로 알맞은 것을 두 가지 고르세요. ( )

① 정몽주가 이방원에게 보내는 편지이다.
② 이성계가 이방원을 생각하며 쓴 것이다.
③ 이방원이 정몽주를 설득하기 위해 쓴 것이다.
④ 고려 임금을 향한 충성심을 저버리지 않겠다는 내용을 담고 있다.
⑤ 새로운 세력과 힘을 합쳐 칡넝쿨처럼 얽혀 살아가자는 내용을 담고 있다.

[9~10] 다음 글을 읽고, 물음에 답하세요.

> **환경 보호에 ㉠동참해 주세요!**
>
> 10월 1일부터 저희 매장에서는 환경 보호를 위해 일회용 플라스틱 빨대를 제공하지 않습니다. 차가운 음료 한 잔당 한 개의 종이 빨대가 제공되오니, 양해를 바랍니다. 또한, 기존 ㉡방침대로 매장 내 일회용 컵 사용은 금지되어 있으며, 개인 컵 사용 시 음료 한 잔당 300원의 할인 ㉢혜택을 드리니 많은 참여 부탁드립니다.

9 이 안내문을 읽고 알 수 있는 정보로 알맞은 것을 모두 골라 ○표를 하세요.

(1) 앞으로 환경 보호를 위해 빨대를 전혀 제공하지 않는다. ( )
(2) 10월 1일부터 일회용 플라스틱 빨대를 제공하지 않는다. ( )
(3) 개인 컵 사용 시 음료 한 잔당 300원의 할인 혜택이 있다. ( )

10 ㉠~㉢의 뜻을 찾아 각각 선으로 이으세요.

(1) ㉠ • • ㉮ 은혜와 덕택을 아울러 이르는 말.
(2) ㉡ • • ㉯ 앞으로 일을 치러 나갈 방향과 계획.
(3) ㉢ • • ㉰ 어떤 모임이나 일에 같이 참여함.

창의

1 다음 만화를 읽고, 3주차에서 배운 낱말을 떠올려 어휘 퀴즈에 알맞은 낱말을 빈칸에 각각 쓰세요.

▶ 정답 및 해설 25쪽

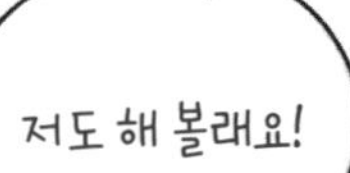

어휘 퀴즈

❶ '모든 재앙.'이라는 뜻으로, '○를 당하다.'의 빈칸에 들어갈 말은? →

❷ '이 방법이 문제를 해결할 ○○의 방법이다.'의 빈칸에 들어갈 말은? →

❸ '남의 사정을 잘 헤아려 너그러이 받아들임.'을 뜻하는 말은? →

융합

2 도연이가 「키가 크는 데에도 때가 있다!」를 읽고 줄넘기를 열심히 하여 키를 키우려고 해요. 줄넘기 횟수를 나타낸 막대그래프를 꺾은선 그래프로 나타내고, 빈칸에 알맞은 답을 각각 쓰세요.

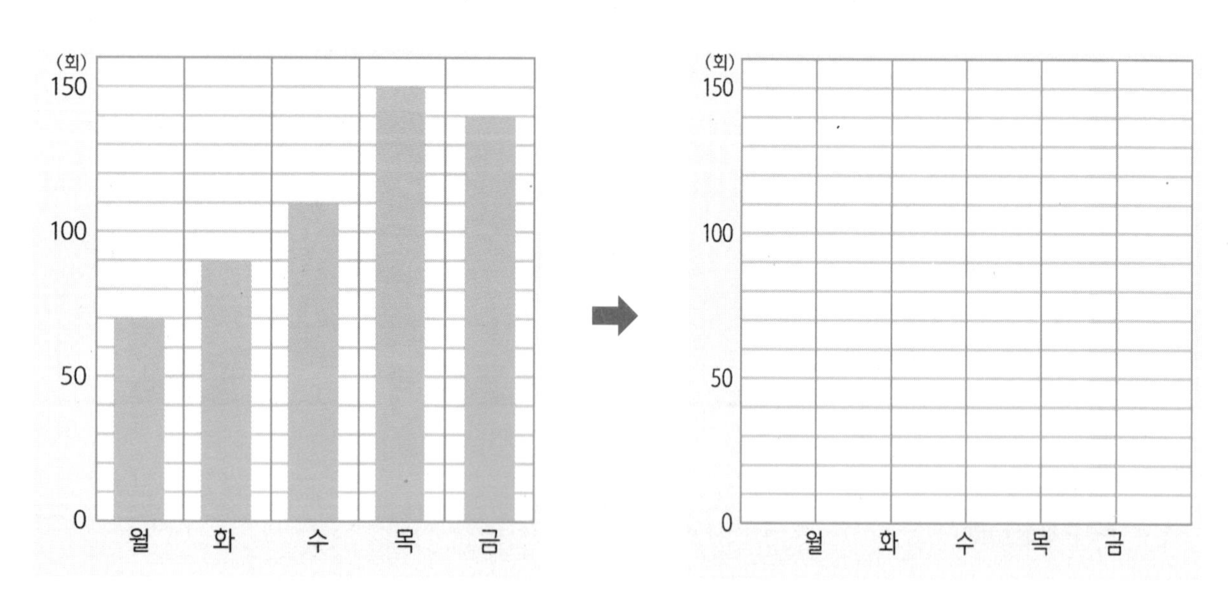

도연이가 줄넘기를 가장 많이 한 요일은 ☐☐☐이고, 가장 적게 한 요일은 ☐☐☐입니다.

▶ 정답 및 해설 25쪽

코딩

3 다음은 「하회탈」을 읽고 안동을 여행하기 위해 짠 계획표예요. 코딩 카드의 빈칸에 알맞은 숫자와 방향을 넣어 모든 장소를 방문하고 무사히 숙소에 도착할 수 있도록 코딩 명령을 완성하세요.

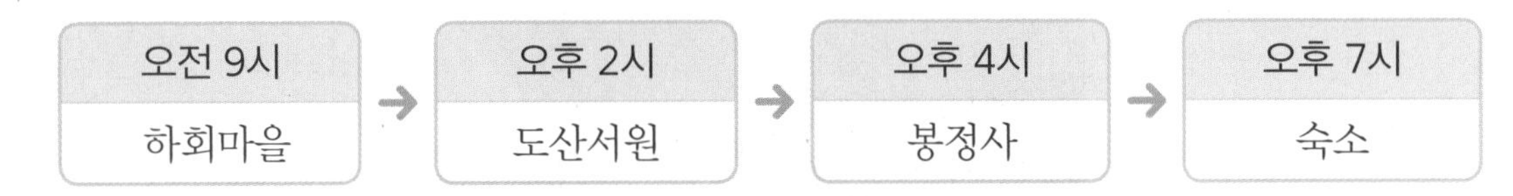

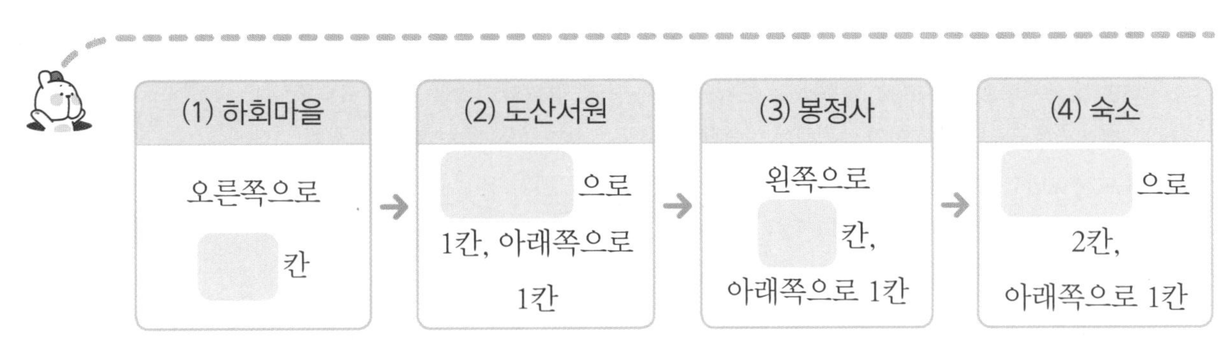

창의

4 버스 도착 안내 전광판을 보고 알맞은 낱말에 ○표를 하세요.

생활 어휘

애들아! 저상 버스는 휠체어를 타고 쉽게 오를 수 있도록 바닥이 (1) (낮고 , 높고) 출입구에 경사판을 설치한 버스야. 그런데 2345번 버스보다는 321번 버스가 곧 도착하니까 그걸 타는 게 낫겠다. 네가 탈 321번 버스는 버스 안에 공간이 (2) (남아 있나 , 없나) 봐. 편하게 갈 수 있겠네.

그럼 서점에 잘 다녀와!

어휘 풀이

- **저상** | 낮을 저 低, 평상 상 床 | **버스** 장애인들이 휠체어를 탄 채 버스에 쉽게 오를 수 있도록 바닥이 낮고 출입구에 경사판을 설치한 버스. ⓔ 저상 버스의 배차를 늘리기로 결정했다.
- **차고지** | 수레 차 車, 곳집 고 庫, 땅 지 地 | 자동차, 기차, 전차 따위의 차량을 넣어 두는 곳. ⓔ 버스가 차고지에서 아직 출발하지 않았다.
- **여유** | 남을 여 餘, 넉넉할 유 裕 | 물질적 · 공간적 · 시간적으로 넉넉하여 남음이 있는 상태. ⓔ 여유를 두고 시험 준비를 시작했다.
- **혼잡** | 섞을 혼 混, 섞일 잡 雜 | 여럿이 한데 뒤섞이어 어수선함. ⓔ 교통 혼잡으로 인해 차가 전혀 움직이지 못했다.

▶정답 및 해설 25쪽

창의

5 青(푸를 청) 자에 대해 알아보고, 다음 물음에 답하세요.

생활 한자

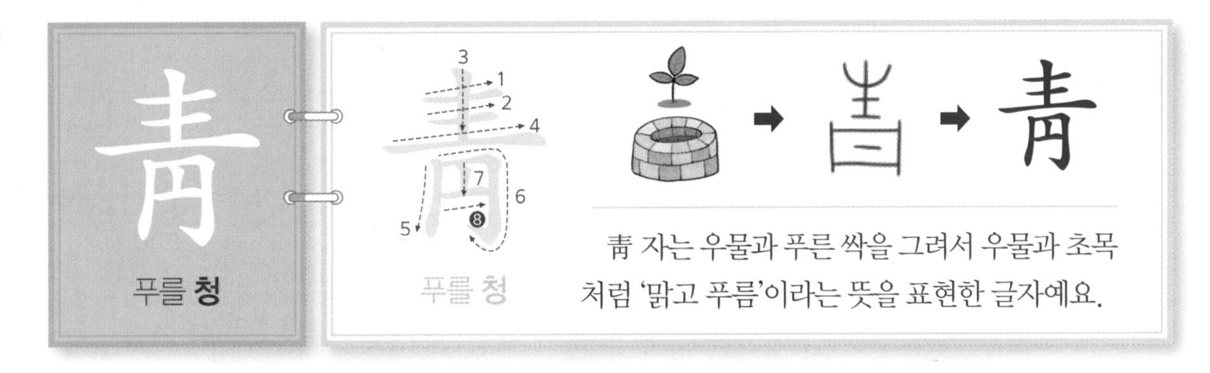

靑 자는 우물과 푸른 싹을 그려서 우물과 초목 처럼 '맑고 푸름'이라는 뜻을 표현한 글자예요.

(1) 靑 자가 들어간 낱말을 알아보고, 한자의 음을 쓰세요.

① 그는 꽃다웠던 자신의 靑春을 돌아보며 미소 지었다.

[ ] 춘

힌트: 104쪽에서 공부한 '청소년기'에 쓰인 靑(푸를 청) 자에 대해 알아보아요.

② 십오 년 전 옆집에 살았던 꼬마는 어느새 靑年으로 성장해 있었다.

[ ] 년

(2) 한자 성어의 뜻을 알아보고, 빈칸에 알맞은 한자를 쓰세요.

쪽에서 뽑아낸 푸른 물감이 쪽보다 더 푸르다는 뜻으로, 제자나 후배가 스승이나 선배보다 나음을 이르는 말.

• 내게 바둑을 배운 제자가 나를 이기다니, [ ] 出 於 藍 (청출어람)이다.

4주

4주에는 무엇을 공부할까? ❶

공부할 내용

- **1일** 동물농장
- **2일** 가위에 지레가 숨어 있다고요?
- **3일** 등대섬 아이들
- **4일** 우리의 문을 함부로 열 수 없습니다
- **5일** 교환·환불 안내

4주 4주에는 무엇을 공부할까? ❷

1-1 밑줄 그은 낱말이 어떤 뜻으로 쓰였는지 골라 ○표를 하세요.

박 선생: 영욱이가 나에게 보낸 이메일 편지대로 순금이 눈을 고치기 위해 순금이를 육지 병원으로 데리고 갈 거고, 영욱이 삼촌도 같이 오시는 걸 보니 그분의 고마운 마음으로 미옥이와 한숙이, 길수, 철호 그리고 수남이도 육지 본교에 공부하러 갈 수 있는 발동선도 마련하셨나 보구나.

(1) 병 따위를 낫게 하기. ( )

(2) 모양이나 내용 따위를 바꾸기. ( )

(3) 고장이 나거나 못 쓰게 된 물건을 손질하여 제대로 되게 하기. ( )

1-2 다음 밑줄 그은 낱말과 바꾸어 쓸 수 있는 낱말을 보기 에서 찾아 쓰세요.

우리 동네에 있는 병원은 병을 잘 고친다고 전국에 소문이 났다.

보기: 손본다고 수리한다고 바로잡는다고 치료한다고

힌트: 각각의 낱말을 밑줄 그은 낱말 대신 넣어 읽어 보고 문장의 의미가 달라지지 않는 것을 찾아요.

( )

▶정답 및 해설 26쪽

2-1 다음 교환·환불 안내의 (　　) 안에 들어갈 알맞은 말을 골라 ○표를 하세요.

다만 아래와 같은 경우 교환이나 환불이 불가능합니다.

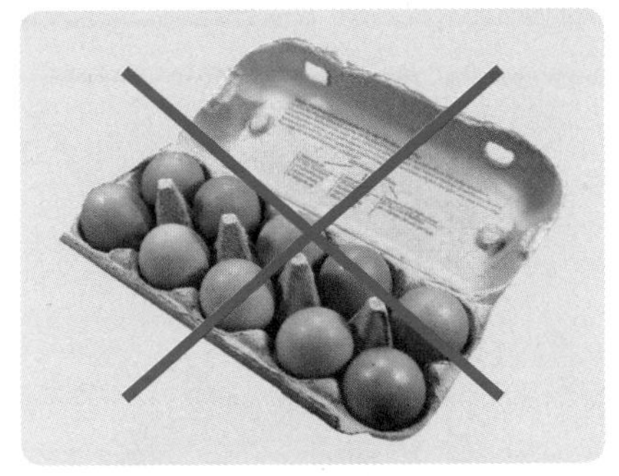

제품의 포장을 개봉한 경우

개인적인 부주의로 제품이
(결합 , 파손)된 경우

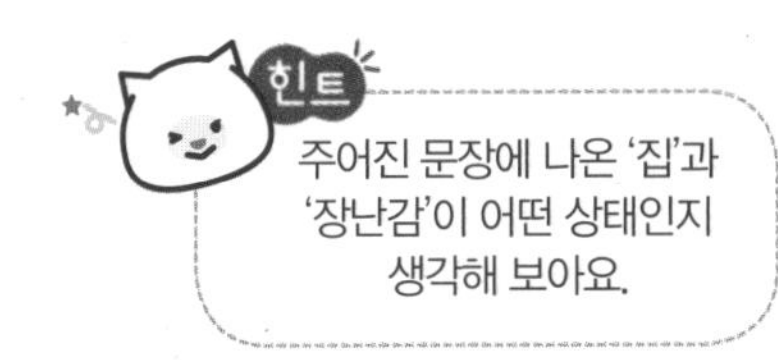

2-2 다음 빈칸에 들어갈 수 없는 낱말을 보기 에서 찾아 쓰세요.

- 강한 태풍으로 여러 채의 집이 ☐☐ 되었다.
- 장난감 상자에 ☐☐ 된 장난감이 들어 있어 다른 상품으로 교환하였다.

보기

파손　　파악　　훼손

(　　　　　　　　)

4주 1일

이야기 (문학)

동물농장

공부한 날 월 일

인물의 생각과
자신의 생각을
비교하는 방법
자세히 알아보기

천재 학습 백과

인물의 생각과 자신의 생각을 비교해라!

「동물농장」에는 인간에게 화가 난 돼지 메이저 영감의 생각이 나타나 있어요.
메이저 영감의 말과 행동을 살펴보며 메이저 영감의 생각과
자신의 생각을 비교해 보아요.

▶ 정답 및 해설 26쪽

● 오늘 공부할 글과 그림을 미리 보고, 알맞은 낱말을 각각 찾아 표시하세요.

"우리는 평생 고생만 하다가 도축장에 끌려가 죽게 됩니다. 얼마나 비참한 죽음입니까? 인간들을 보세요. 인간들은 우리처럼 일하지도 않고 우리가 만든 것을 쓰지 않습니까? 우리가 살기 힘든 것은 모두 인간들의 잘못입니다. 우리 모두 일어나서 인간들을 몰아냅시다! 바로 반란을 일으키는 거예요!"

1. '어렵고 고된 일을 겪음. 또는 그런 일이나 생활.'이라는 뜻의 낱말을 찾아 ○표를 하세요.

2. '고기를 얻기 위하여 소나 돼지 따위의 가축을 잡아 죽이는 곳.'이라는 뜻의 낱말을 찾아 △표를 하세요.

3. '정부나 지도자 따위에 반대하여 싸움을 일으킴.'이라는 뜻의 낱말을 찾아 □표를 하세요.

「동물농장」에 대해 더 알아보기

동물농장

조지 오웰

스스로 독해

메이저 영감이 인간들을 몰아내자고 말하는 까닭은 무엇일까요? 점선 부분을 따라 선을 그으며 읽고 자신의 생각과 비교해 보세요.

큰 창고의 구석에는 ▼연설을 할 수 있는 높이의 ▼연단이 있었다. 가장 인자하고 현명한 돼지인 메이저 영감이 그 연단 위로 올라갔다. 메이저 영감은 농장에서 가장 존경받는 동물이었다.

어느새 창고에는 농장의 모든 동물들이 자리를 잡고 앉았다. 짐마차를 끄는 말 복서와 클로버, 흰 염소 뮤리엘, 늙은 당나귀 벤자민, 새끼 오리들, 고양이 등이 모두 모였다. 동물들은 연단 위에 올라가 있는 메이저 영감을 쳐다보았다. 메이저 영감은 헛기침을 몇 번 한 뒤 연설을 시작했다.

"동물 여러분, 저는 아무래도 오래 살 수 없을 것 같습니다. 그래서 죽기 전에 내가 알게 된 지혜를 여러분에게 얘기해 주고 싶었습니다. 자, 여러분. 우리는 지금 어떻게 살고 있습니까? 우리는 평생 고생만 하다가 ▼도축장에 끌려가 죽게 됩니다. 얼마나 ㉠ ▼비참한 죽음입니까? 인간들을 보세요. 인간들은 우리처럼 일하지도 않고 우리가 만든 것을 쓰지 않습니까? 우리가 살기 힘든 것은 모두 인간들의 잘못입니다. 우리 모두 일어나서 인간들을 몰아냅시다! 바로 ▼반란을 일으키는 거예요! 모든 인간은 우리의 적입니다!"

어휘 풀이

▼ **연설** | 멀리 흐를 연 演, 말씀 설 說 | 여러 사람 앞에서 자기의 주장이나 의견을 이야기함.
㉮ 사람들은 그의 연설을 듣고 감동했다.

▼ **연단** | 멀리 흐를 연 演, 단 단 壇 | 연설이나 강연을 하는 사람이 올라서는 단. ㉮ 나는 연단에 서 본 경험이 없다.

▼ **도축장** | 죽일 도 屠, 가축 축 畜, 마당 장 場 | 고기를 얻기 위하여 소나 돼지 따위의 가축을 잡아 죽이는 곳.
㉮ 크고 살찐 소들을 실은 차가 도축장으로 들어갔다.

▼ **비참** | 슬플 비 悲, 참혹할 참 慘 | 더할 수 없이 슬프고 끔찍함. ㉮ 비참한 현실을 마주했다.

▼ **반란** | 배반할 반 叛, 어지러울 란 亂 | 정부나 지도자 따위에 반대하여 싸움을 일으킴.
㉮ 그는 사회에 불만을 품은 사람들과 함께 반란을 일으켰다.

1 이해

메이저 영감에 대한 설명으로 알맞지 않은 것에 ×표를 하세요.

(1) 메이저 영감은 동물들 앞에서 연설을 하고 있다. (　　　　)

(2) 메이저 영감은 농장에서 가장 존경받는 동물이다. (　　　　)

(3) 메이저 영감은 인간을 돕기 위해 노력해야 한다고 말한다. (　　　　)

서술형

2 이해

메이저 영감은 동물들의 삶에 대하여 무엇이라고 말했는지 쓰세요.

우리는 평생 ______________________________

______________________ 죽게 됩니다.

3 어휘

㉠과 바꾸어 쓸 수 있는 낱말은 무엇인가요? (　　　　)

① 행복한　② 조용한　③ 끔찍한

④ 유쾌한　⑤ 따듯한

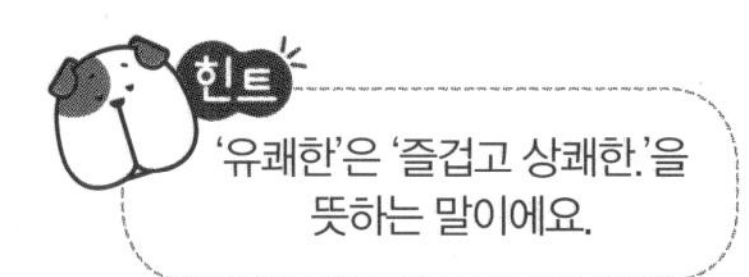

스스로 독해 해결!

4 요약

민수가 메이저 영감의 생각과 자신의 생각을 비교하여 정리한 내용을 보며, 빈칸에 알맞은 말을 각각 쓰세요.

민수

「동물농장」에서 메이저 영감은 일하지 않으면서 동물들이 만든 것을 쓰는 ❶ □□ 들을 몰아내야 한다고 말하고 있어. 메이저 영감은 동물들이 살기 힘든 것은 인간들의 잘못이니 ❷ □□ 을 일으켜야 된다고 생각하는 거야. 나는 모든 동물들이 인간을 좋아할 거라고 생각했는데, 이 글을 읽으면서 메이저 영감과 내 생각이 다르다는 것을 알게 되었어.

▶정답 및 해설 26쪽

1 다음 문장에서 밑줄 그은 낱말의 뜻을 찾아 각각 선으로 이으세요.

(1) 연습장에 붓글씨를 쓰다. •

(2) 미세 먼지가 심한 날에는 마스크를 쓴다. •

(3) 감기약이 너무 쓰다. •

(4) 메이저 영감은 인간들이 일하지 않고 동물들이 만든 것을 쓴다고 하였다. •

• ① 어떤 일을 하는 데에 재료나 도구를 이용하다.

• ② 혀로 느끼는 맛이 한약의 맛과 같다.

• ③ 얼굴에 어떤 물건을 걸거나 덮어쓰다.

• ④ 붓, 펜과 같이 선을 그을 수 있는 도구로 일정한 글자의 모양이 이루어지게 하다.

2 다음 보기 의 설명을 읽고, 빈칸에 알맞은 말을 각각 쓰세요.

보기

헛- 　'이유 없는', '보람 없는'의 뜻을 더해 주는 말.

예 • 헛기침: 이유 없는 기침. 　• 헛고생: 아무런 보람 없는 고생.

(1) ☐☐☐ : 근거 없이 떠도는 소문.

(2) ☐☐☐ : 아무 보람도 없이 애를 씀. 또는 그런 수고.

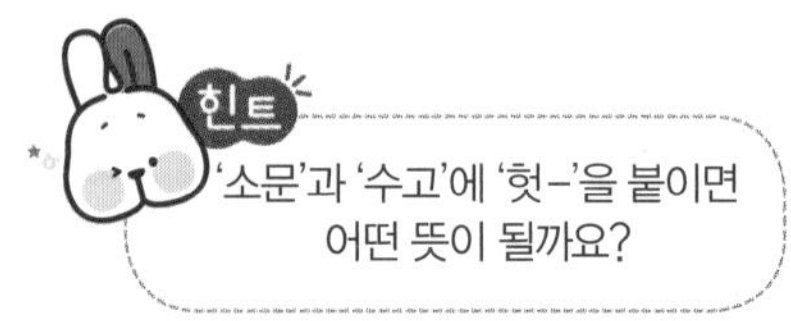

힌트 '소문'과 '수고'에 '헛-'을 붙이면 어떤 뜻이 될까요?

▶정답 및 해설 26쪽

◉ 「동물농장」에서 연설을 듣기 위해 창고에 모였던 동물을 따라 농장을 빠져나가세요.

「동물농장」에서 메이저 영감의 연설을 들으러 창고에 모였던 동물들을 떠올리며 **이야기의 등장인물을 찾아** 길 찾기 게임을 해 봅니다.

4주 2일

과학 (비문학)

가위에 지레가 숨어 있다고요?

공부한 날 월 일

대상을 설명하는 방법 자세히 알아보기

분류하여 설명하는 방법을 알아보자!

여러 가지 물건을 알기 쉽게 설명하려면 어떻게 해야 할까요?

「가위에 지레가 숨어 있다고요?」는 힘점, 받침점, 작용점의 위치에 따라 지레의 종류를 나누어 설명한 글이에요.

글을 읽으면서 분류하여 설명하는 방법을 알아보아요.

▶정답 및 해설 27쪽

● 오늘 공부할 글의 사진을 미리 보고, 빈칸에 알맞은 낱말을 보기 에서 각각 찾아 쓰세요.

보기

연필　　도구　　핀셋　　도장　　지레

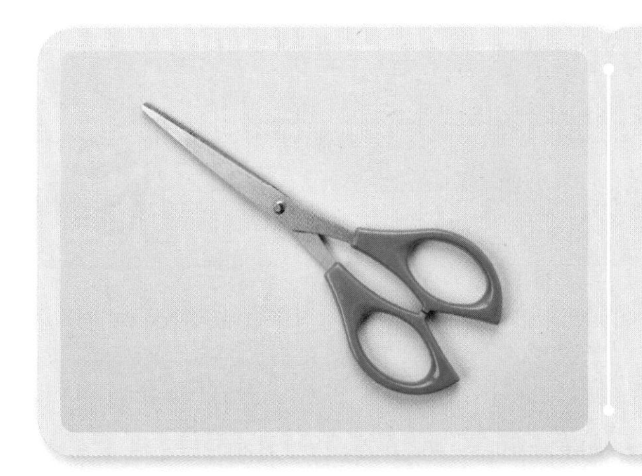

❶ 

일을 할 때 쓰는 연장을 통틀어 이르는 말.

예 가위는 지레의 원리를 이용해 만든 ○○예요.

❷ 

무거운 물건을 움직이는 데에 쓰는 막대기인 '지렛대'의 준말.

예 ○○의 원리를 이용한 도구에는 시소, 병따개 등이 있어요.

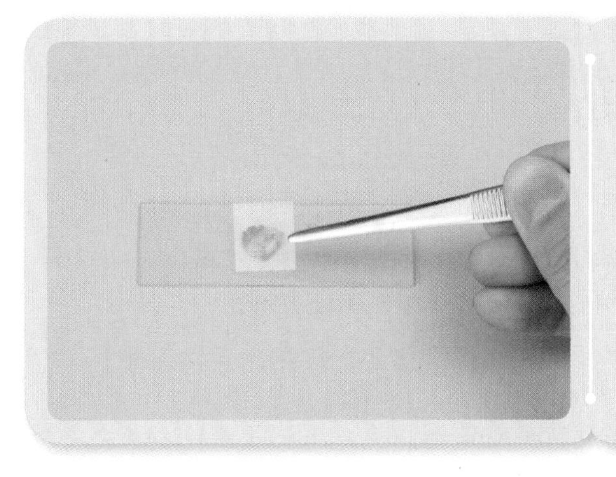

❸ 

손으로 집기 어려운 작은 물건을 집는 데에 쓰는, 족집게와 비슷한 기구.

예 ○○은 3종 지레의 원리를 이용한 도구예요.

지레의 원리에 대해 더 알아보기

가위에 지레가 숨어 있다고요?

스스로 독해

다양한 종류의 지레를 어떻게 설명하였을까요? 점선 부분을 따라 선을 그으며 대상을 분류하여 설명하는 방법을 알아보아요.

가위는 지레의 원리를 이용해 만든 도구예요. 지레는 힘을 주는 힘점과 받침대인 받침점, 힘이 작용하는 작용점으로 이루어져 있어요. 가위는 손잡이가 힘점, 손잡이가 엇갈리는 중간 부분이 받침점, 물건을 자르는 날 부분이 작용점이에요. 지레의 원리를 이용한 도구에는 시소, 병따개, 핀셋, 젓가락, 스테이플러 등이 있어요.

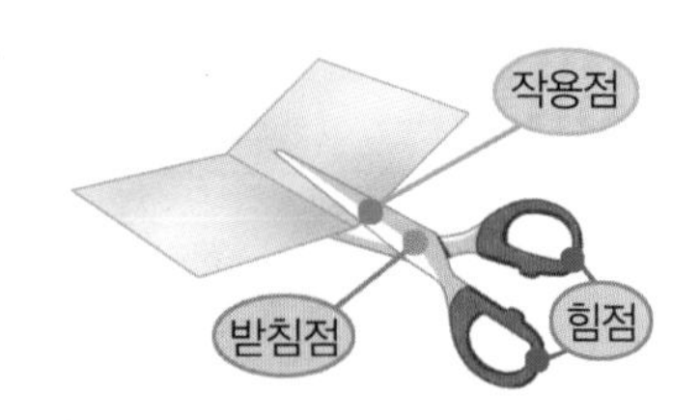

지레는 힘점, 받침점, 작용점의 위치에 따라 세 가지 종류로 나뉘어요. 받침점이 가운데에 있는 1종 지레, 받침점과 힘점 사이에 작용점이 있는 2종 지레, 받침점에서 작용점까지의 길이가 받침점에서 힘점 사이의 길이보다 긴 3종 지레로 나눌 수 있어요.

작은 힘으로 큰 힘을 낼 수 있는 1종 지레의 원리를 이용한 도구에는 가위, 시소, 저울 등이 있어요. 그리고 병따개, 손수레 등은 2종 지레의 원리를 이용한 도구예요. 젓가락, 핀셋, 족집게는 3종 지레의 원리를 이용한 도구인데, 작은 것을 세밀하게 다룰 수 있고 물체를 빠르게 움직일 수 있어요.

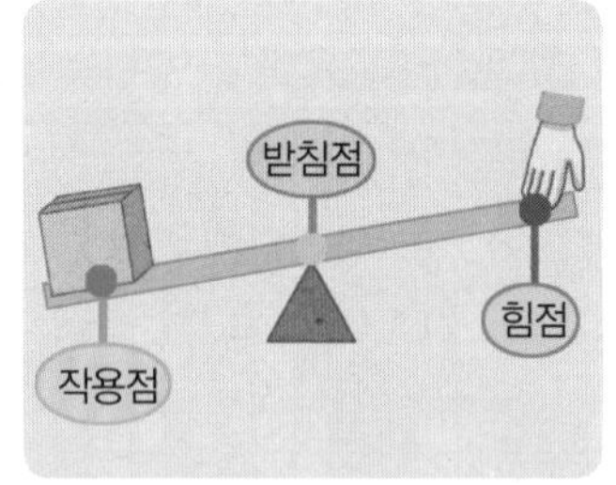

▲ 1종 지레의 원리

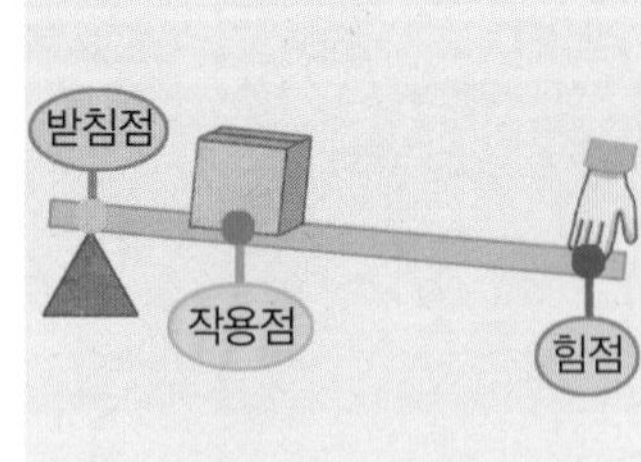

▲ 2종 지레의 원리

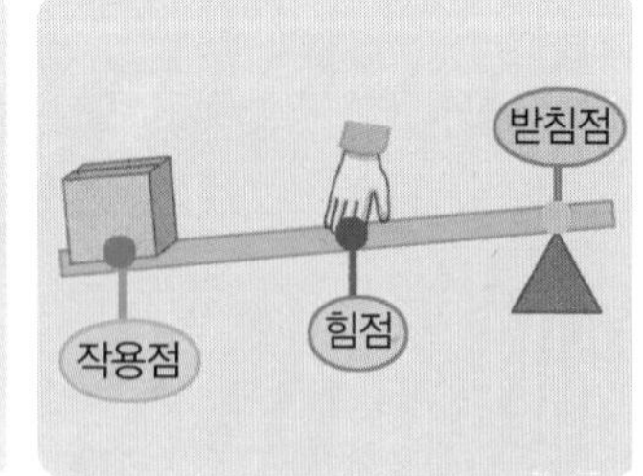

▲ 3종 지레의 원리

어휘 풀이

- **지레** 무거운 물건을 움직이는 데에 쓰는 막대기인 '지렛대'의 준말. 예 지레를 사용하여 큰 바위를 옮긴다.
- **도구**|길 도 道, 갖출 구 具| 일을 할 때 쓰는 연장을 통틀어 이르는 말. 예 청소 도구로 청소를 하였다.
- **작용**|지을 작 作, 쓸 용 用| 어떠한 현상을 일으키거나 영향을 미침. 예 이 물질이 어떤 작용을 하는지 궁금하다.
- **핀셋** 손으로 집기 어려운 작은 물건을 집는 데에 쓰는, 족집게와 비슷한 기구. 예 핀셋으로 가시를 빼다.
- **세밀**|가늘 세 細, 빽빽할 밀 密|**하게** 자세하고 꼼꼼하게. 예 눈송이를 세밀하게 관찰하면 모두 다른 모습이다.

▶정답 및 해설 27쪽

1 유추

다음 그림을 보고 빈칸에 알맞은 낱말을 각각 쓰세요.

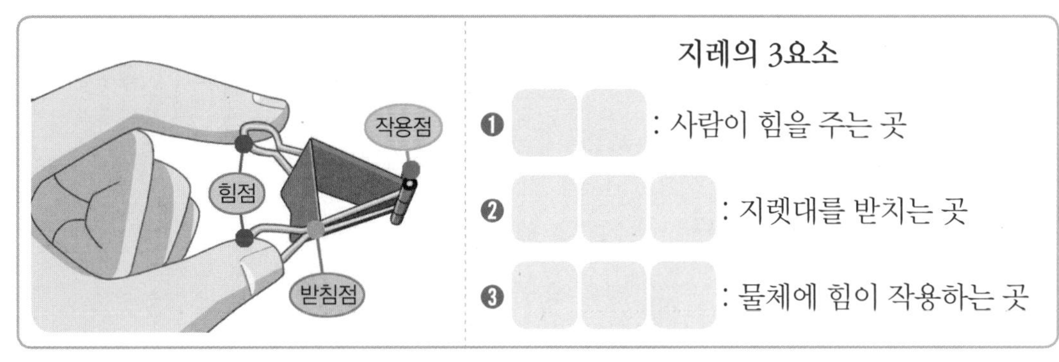

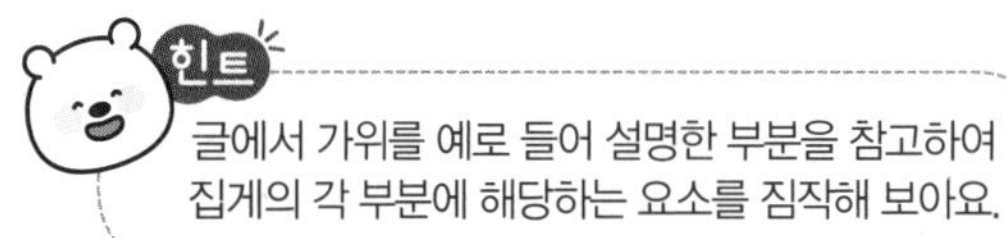

2 이해

이 글에서 설명한 지레의 원리를 이용한 도구를 모두 골라 ◯표를 하세요.

시소	핀셋	지우개	형광펜	젓가락

서술형

3 이해

3종 지레의 원리를 이용한 도구의 특징을 쓰세요.

3종 지레는 작은 것을 ______________________________ 물체를 빠르게 움직일 수 있다.

스스로 독해 해결!

4 요약

이 글에서 지레를 분류한 내용을 정리하여 빈칸에 알맞은 말을 각각 쓰세요.

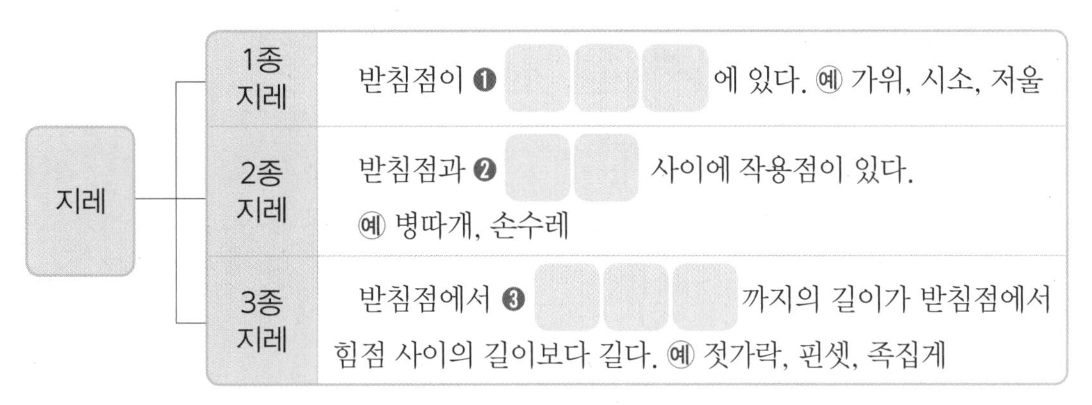

▶정답 및 해설 27쪽

1 **다음 문장의 밑줄 그은 낱말이 어떤 뜻으로 사용되었는지 보기 에서 알맞은 번호를 각각 찾아 쓰세요.**

보기

자르다 ① 동강을 내거나 끊어 내다.
② 남의 요구를 야무지게 거절하다.
③ 말이나 일 따위를 길게 오래 끌지 않고 적당한 곳에서 끊다.

(1) 친구의 말을 자르고 내 이야기를 했다. (　　　)

(2) 된장찌개에 두부와 버섯, 양파를 잘라 넣었다. (　　　)

(3) 나는 친구의 부탁을 냉정하게 딱 자르지 못했다. (　　　)

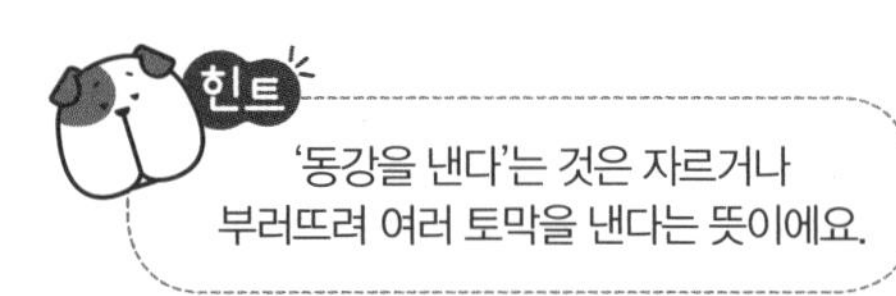

2 **다음 낱말의 뜻을 읽고 문장에 알맞은 낱말을 각각 골라 ○표를 하세요.**

적다 수나 양, 정도가 일정한 기준에 미치지 못하다.
작다 길이, 넓이 따위가 비교 대상이나 보통보다 덜하다.

(1) 살을 빼려면 (작게 , 적게) 먹고 운동을 해야 한다.

(2) 신발이 너무 (작아서 , 적어서) 불편하다.

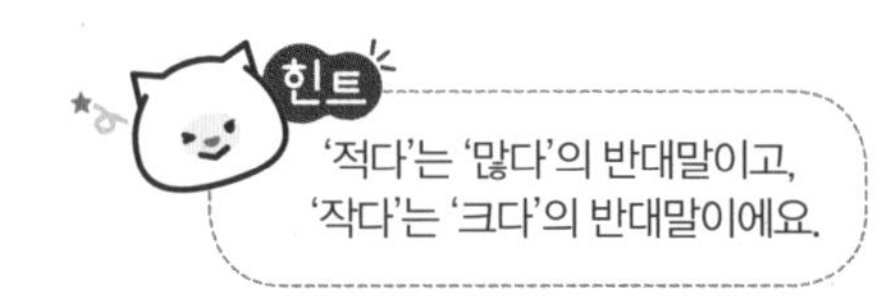

▶정답 및 해설 27쪽

「가위에 지레가 숨어 있다고요?」를 읽고 가위는 어떤 원리를 이용한 도구인지 알아보았어요. 우리가 생활 속에서 자주 이용하는 엘리베이터는 어떤 원리로 움직이는지 알아볼까요? 도일이의 설명을 읽고 알맞은 말을 각각 골라 ○표를 하세요.

엘리베이터는 (1) (도르래 , 바람)의 원리로 움직여요. 도르래에 연결된 엘리베이터와 추는 서로 반대 방향으로 움직이기 때문에 엘리베이터가 위로 올라가기 위해서는 추가 (2) (위 , 아래)로 움직여야 해요.

「가위에 지레가 숨어 있다고요?」의 내용을 떠올리며 **도르래의 원리로 움직이는 기구**에 대해서도 알아봅니다.

4주 3일

희곡 (문학)

등대섬 아이들

공부한 날 월 일

연극에 대하여 자세히 알아보기

천재 학습 백과

희곡으로 연극 공연을 하자!

「등대섬 아이들」은 연극을 하기 위해

배우가 할 말이나 동작, 표정, 배경 등을 쓴 희곡이에요.

희곡을 연극으로 공연하기 위해 무엇을 준비해야 할지 생각하며 글을 읽어 보세요.

▶정답 및 해설 28쪽

● 오늘 공부할 글의 그림을 미리 보고, 빈칸에 알맞은 낱말을 보기 에서 각각 찾아 쓰세요.

보기

발동선 발자국 무시 부축 육지

❶ 

겨드랑이를 붙잡아 걷는 것을 도움.

예 한숙이와 미옥이 그리고 길수가 달려가 순금이를 ○○한다.

❷ 

섬에 상대하여, 대륙과 연결되어 있는 땅을 이르는 말.

예 순금이 눈을 고치기 위해 순금이를 ○○ 병원에 데리고 갈 수 있다.

❸ 

기계 안에서 연료를 태워 얻은 힘으로 움직이는 배.

예 본교에 공부하러 갈 수 있는 ○○○도 마련하셨나 보구나.

4주 3일

순금이는 왜 소라고둥을 땄을까?

등대에 대하여 더 알아보기

등대섬 아이들

주평

스스로 독해

이 글로 연극 공연을 하기 위해 준비해야 할 것을 찾아볼까요? ( ) 속 낱말에 색칠하며 글을 읽어 보세요.

철호: 선생님, (발동선 소리 나는 쪽을 가리키며) 영욱이가 왔어요.

박 선생: 그래, 이제야 영욱이가 오는구나. (순금이에게 다가가서 순금이를 부둥켜안아 일으키며) 순금아, 영욱이가 오고 있어!

순금: (겨우 눈을 뜨고는 힘없는 소리로) 선생님, 이 소라고둥 영욱이 주려고 땄는데…….

할아버지: 이것아 어쩌자고 깊은 물에 들어갔느냐 말이다.

박 선생이 순금이를 일으켜 세우자, 한숙이와 미옥이 그리고 길수가 달려가 순금이를 부축한다.

철호: 그런데 영욱이 아버지도 오세요.

수남: 그런데 또 한 분은 누군지 모르겠어요.

박 선생: 그러고 보니, 영욱이 삼촌도 같이 오시나 보구나.

아이들: 영욱이 삼촌요?

박 선생: (기자에게) 그러고 보니 ㉠영욱이가 나에게 보낸 이메일 편지대로 순금이 눈을 고치기 위해 순금이를 육지 병원으로 데리고 갈 거고, 영욱이 삼촌도 같이 오시는 걸 보니 그분의 고마운 마음으로 미옥이와 한숙이, 길수, 철호 그리고 수남이도 육지 본교에 공부하러 갈 수 있는 발동선도 마련하셨나 보구나.

어휘 풀이

- **발동선** | 필 발 發, 움직일 동 動, 배 선 船 | 기계 안에서 연료를 태워 얻은 힘으로 움직이는 배.
  ㉮ 태풍이 온다고 하자, 바다에 발동선이 한 척도 보이지 않았다.
- **소라고둥** 둥글둥글하게 돌아간 모양의 딱딱한 껍데기로 몸을 둘러싸고 있는 바다 동물.
- **부축** 겨드랑이를 붙잡아 걷는 것을 도움. ㉮ 친구의 부축을 받아 겨우 계단을 오를 수 있었다.
- **육지** | 뭍 육 陸, 땅 지 地 | 섬에 상대하여, 대륙과 연결되어 있는 땅을 이르는 말.
- **본교** | 근본 본 本, 학교 교 校 | 중심이 되는 학교를 분교에 상대하여 이르는 말.
  ㉮ 본교의 학생 수가 많아져서 몇 개의 분교를 두기로 했다.

▲ 소라고둥

▶ 정답 및 해설 28쪽

1 이해

순금이가 소라고둥을 따서 가져온 이유로 알맞은 것에 ○표를 하세요.

(1) 영욱이에게 소라고둥을 주고 싶었기 때문이다. (　　　　)

(2) 선생님께 소라고둥을 선물하고 싶었기 때문이다. (　　　　)

(3) 눈을 고치기 위해 병원으로 갈 때 가져가고 싶었기 때문이다. (　　　　)

서술형

2 이해

순금이를 걱정하는 할아버지의 마음이 담긴 말을 쓰세요.

이것아 ______________________

__________ 말이다.

3 유추

㉠에서 영욱이가 보냈을 이메일 편지의 내용으로 알맞지 않은 것의 번호를 쓰세요.

안녕하세요.
저는 등대가 있는 섬에 살고 있는 영욱이에요.
몇 가지 부탁을 드리고 싶어서 편지를 써요.
제 친구인 ① 순금이가 눈을 고칠 수 있도록 육지에 있는 병원에 데려가 주세요. 그리고 ② 순금이의 소원대로 바다에서 소라고둥을 가져올 수 있도록 도와주세요.
그럼, 안녕히 계세요.

(　　　　　　　)

힌트: 박 선생이 한 말에서 영욱이가 보낸 이메일 편지의 내용을 알 수 있어요.

스스로 독해 해결!

4 요약

이 글을 연극으로 공연하기 위해 준비할 것을 정리하여 빈칸에 알맞은 말을 각각 쓰세요.

「등대섬 아이들」 연극 준비

- 등장인물: 박 선생, ❶ □□□□, 순금, 철호, 수남 등
- 배경: 육지에 가려면 배를 타야 하는 등대섬
- 소품: 순금이가 들고 있는 ❷ □□□□

▶ 정답 및 해설 28쪽

1 「등대섬 아이들」에 나오는 다음 문장에서 밑줄 그은 낱말과 바꾸어 쓸 수 있는 낱말을 보기 에서 각각 찾아 쓰세요.

보기

가까스로	애를 써서 매우 힘들게.
껴안아	두 팔로 감싸서 품에 안아.
장만	필요한 것을 사거나 만들거나 하여 갖춤.

(1) 순금이에게 다가가서 순금이를 부둥켜안아 일으켰다.

(2) 겨우 눈을 뜨고는 힘없는 소리로 말했다.

(3) 육지 본교에 공부하러 갈 수 있는 발동선도 마련하셨나 보구나.

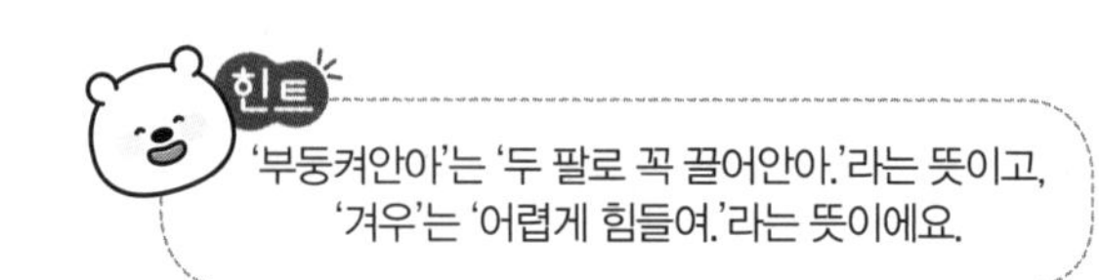

2 「등대섬 아이들」의 문장에서 밑줄 그은 낱말과 뜻이 반대인 말을 찾아 각각 선으로 이으세요.

(1) 순금아, 영욱이가 오고 있어! •

(2) 이것아 어쩌자고 깊은 물에 들어갔느냐 말이다. •

(3) 그런데 또 한 분은 누군지 모르겠어요. •

• ① 가고

• ② 알겠어요

• ③ 나왔느냐

◉ 「등대섬 아이들」을 읽고 나서 연극의 종류에 대해 알아보려고 해요. 설명에 알맞은 연극을 사다리 타기 놀이를 하여 찾아보세요.

연극의 종류를 더 알아보고, 「등대섬 아이들」을 어떤 종류의 연극으로 공연하는 것이 좋을지도 생각해 봅니다.

4주 4일

역사 (비문학)

우리의 문을 함부로 열 수 없습니다

공부한 날 월 일

관점에 대하여 자세히 알아보기

천재 학습 백과

인물의 관점을 생각하며 글을 읽어 보자!

「우리의 문을 함부로 열 수 없습니다」는 흥선 대원군이 척화비를 세운 이유를 적은 글이에요. 척화비에 담긴 내용을 살펴보고, 서양에 대한 흥선 대원군의 관점을 생각하며 글을 읽어 보세요.

▶정답 및 해설 29쪽

● 오늘 공부할 글과 그림을 미리 보고, 알맞은 낱말을 각각 찾아 표시하세요.

몇 해 전, 서양의 배가 조선에 오더니 조선과 교역을 요구해 왔다. 당시 우리 조선은 정치·사회적으로 많이 힘든 상태였다. 오랫동안 이루어진 안동 김씨의 지배 아래 관리들은 부패했고, 농민들은 흉년과 늘어난 세금 때문에 힘들어했다.

1 '주로 나라와 나라 사이에서 물건을 사고팔고 하여 서로 바꿈.'이라는 뜻의 낱말을 찾아 ○표를 하세요.

2 '정치, 사상, 의식 따위가 잘못된 길로 빠짐.'이라는 뜻의 낱말을 찾아 △표를 하세요.

3 '농작물이 예년에 비하여 잘되지 않아 굶주리게 된 해.'라는 뜻의 낱말을 찾아 □표를 하세요.

우리의 문을 함부로 열 수 없습니다

스스로 독해

흥선 대원군은 서양에 대해 어떤 생각을 갖고 있을까요? 점선 부분을 따라 선을 그으며 서양에 대한 흥선 대원군의 관점을 생각해 보아요.

서양 오랑캐가 침범하였을 때 그들과 싸우지 않으면 화해하는 것이요, 화해를 주장하는 것은 나라를 파는 일이다.

— 척화비

몇 해 전, 서양의 배가 조선에 오더니 조선과 교역을 요구해 왔다. 당시 우리 조선은 정치·사회적으로 많이 힘든 상태였다. 오랫동안 이루어진 안동 김씨의 지배 아래 관리들은 ㉠부패했고, 농민들은 흉년과 늘어난 세금 때문에 힘들어했다. 그래서 그들과 교역을 하지 않겠다고 말했다.

그랬더니 그들이 침입해 왔다. 우리 조선인들은 힘을 합쳐서 그들과 싸웠다. 그들은 우리 조선인들을 무시하고, 문화재를 빼앗아 갔으며, 우리 아버님인 남연군의 묘까지 파헤쳤다. 그들이 한 짓은 야만스러운 오랑캐들이 하는 것과 다를 바 없다. 이를 알리기 위해 나, 흥선 대원군은 척화비를 세우니, 모든 백성들은 이 척화비의 뜻을 알고 따라 주기를 바란다.

어휘 풀이

- **오랑캐** 언어와 풍습 따위가 다른 민족을 낮잡아 이르는 말. 예 일본 오랑캐가 쳐들어왔다.
- **척화비** | 물리칠 척 斥, 화목할 화 和, 비석 비 碑 | 흥선 대원군이 서양과 교역하지 않겠다는 의지를 보여 주려고 세운 비석. 예 흥선 대원군은 서울과 지방 곳곳에 척화비를 세웠다.
- **교역** | 사귈 교 交, 바꿀 역 易 | 주로 나라와 나라 사이에서 물건을 사고팔고 하여 서로 바꿈. 예 세계 여러 나라와의 교역 활동이 활발하다.
- **부패** | 썩을 부 腐, 패할 패 敗 | 정치, 사상, 의식 따위가 잘못된 길로 빠짐. 예 부패한 문화를 바꿔야 한다.
- **흉년** | 흉할 흉 凶, 해 년 年 | 농작물이 예년에 비하여 잘되지 않아 굶주리게 된 해. 예 흉년이 들면 풀뿌리를 캐 먹었다.
- **야만** | 들 야 野, 오랑캐 만 蠻 | **스러운** 교양이 없고 무례한 데가 있는. 예 이 야만스러운 사건은 언젠가 반드시 역사의 심판을 받게 될 것이다.

▶정답 및 해설 29쪽

1 어휘

다음 문장의 밑줄 그은 낱말이 ㉠과 비슷한 뜻을 가진 것에 ◯표를 하세요.

(1) 돈은 인간을 타락시킬 수도 있다. (　　　　)

(2) 인생에는 성공도 있고 실패도 있는 법이다. (　　　　)

(3) 공부를 열심히 했더니 기대한 것보다 좋은 점수를 받았다. (　　　　)

힌트 '타락'은 '올바른 길에서 벗어나 잘못된 길로 빠지는 일.'이라는 뜻이에요.

서술형

2 이해

서양의 배가 조선에 교역을 요구했을 당시 조선이 처했던 어려운 상황에 대해 쓰세요.

오랫동안 이루어진 안동 김씨의 지배 아래 (1) ______________________ 농민들은 (2) ______________________ 때문에 힘들어했다.

3 이해

이 글에서 서양 오랑캐들이 한 행동을 모두 골라 번호에 ◯표를 하세요.

① 조선인들을 무시했다.

② 흥선 대원군 아버지의 묘를 파헤쳤다.

③ 조선의 문화재를 빼앗아 갔다.

④ 조선에 척화비를 세웠다.

스스로 독해 해결!

4 요약

서양에 대한 흥선 대원군의 관점을 생각하며 내용을 정리하여 빈칸에 알맞은 말을 각각 쓰세요.

흥선 대원군은 조선인에게 야만스러운 행동을 한 서양 ❶ [　][　][　] 와 교역하지 말고 맞서 싸워야 한다고 생각하며 ❷ [　][　][　] 를 세웠다.

▲ 흥선 대원군이 세운 척화비

4주 4일

▶정답 및 해설 29쪽

1 다음 중 '침입'과 비슷한 뜻을 가진 낱말을 모두 골라 빈칸에 쓰세요.

침범 남의 땅이나 권리, 재산 따위에 쳐들어가거나 해를 끼침.
예 중국 어선이 불법으로 동해를 침범하였다.

침략 정당한 이유 없이 남의 나라에 쳐들어감.
예 일본의 침략으로 백성들은 고통을 겪었다.

침묵 아무 말도 없이 잠잠히 있음. 또는 그런 상태.
예 작가가 오랜 침묵을 깨고 새로운 작품을 발표했다.

침체 어떤 현상이나 사물이 진전하지 못하고 제자리에 머무름.
예 오랜 경기 침체로 문을 닫는 가게가 늘어났다.

→ ☐☐, ☐☐

힌트 '침범'과 '침략'에 쓰인 '침(侵)'은 '쳐들어가다.'라는 뜻이고, '침묵'과 '침체'에 쓰인 '침(沈)'은 '잠기다.'라는 뜻이에요.

2 다음 설명을 읽고, '문화재'에 해당하는 것을 모두 골라 ○표를 하세요.

문화재는 역사적, 예술적, 문화적으로 보호해야 할 만한 가치가 있는 것들을 말한다. 예를 들어 경복궁, 남한산성, 고려청자 같은 것들을 문화재라고 한다.

(1) 불국사 다보탑
( )

(2) 장난감 로봇
( )

(3) 숭례문
( )

▶정답 및 해설 29쪽

● 「우리의 문을 함부로 열 수 없습니다」에서 흥선 대원군이 척화비를 세운 이유에 대해 더 자세히 알아볼까요? 다음 만화를 잘 읽고 알맞은 말을 각각 골라 ○표를 하세요.

조선을 공격한 미국의 (1) (배 , 나라)를 불태운 사건을 제너럴셔먼호 사건이라고 하고, 이 일로 미국이 (2) (강화도 , 제주도)를 공격한 사건을 신미양요라고 해요. 흥선 대원군은 신미양요 이후에 서양과 교역을 하지 않겠다는 뜻을 널리 알리기 위해 전국에 척화비를 세웠어요.

「우리의 문을 함부로 열 수 없습니다」의 내용을 떠올리며, **척화비를 세웠던 시대적 상황**에 대해 더 알아봅니다.

4주 5일

생활 속 독해

교환 · 환불 안내

공부한 날 월 일

자료에 담긴 의미를 이해하며 읽자!

물건을 샀는데 마음에 들지 않거나 불량품이라서 바꾸고 싶었던 경험이 있나요?
사진이나 그림에 담긴 의미를 이해하면 글을 더 쉽게 읽을 수 있어요.
「교환 · 환불 안내」 속 사진의 의미를 이해하며 글을 읽어 보아요.

▶정답 및 해설 30쪽

오늘 공부할 글의 그림을 미리 보고, 빈칸에 알맞은 낱말을 보기 에서 각각 찾아 쓰세요.

보기

교환 안내 개봉 영수증 포장지

❶ 

돈이나 물품 따위를 받은 사실을 표시하는 증서.

예 ○○○을 반드시 가지고 오셔야 교환이나 환불이 가능합니다.

❷ 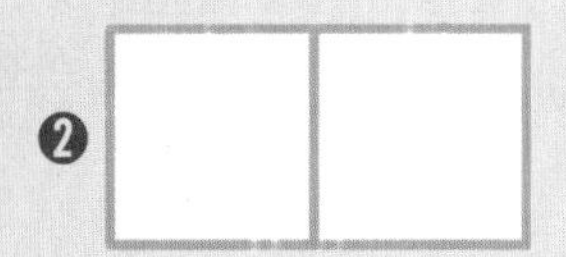

서로 바꿈.

예 제품이 불량인 경우 ○○이 가능합니다.

❸ 

봉하여 두었던 것을 떼거나 엶.

예 제품의 포장을 ○○한 경우 교환이나 환불이 불가능합니다.

4주 5일

교환이나 환불이 안 되는 경우가 있다고?

소비자 기본법에 대하여 알아보기

교환 · 환불 안내

스스로 독해

안내문에서 사진이 담고 있는 의미를 알아볼까요? 점선 부분을 따라 선을 그으며 사진을 통해 전달하려는 내용을 생각해 보세요.

영수증을 반드시 가지고 오셔야 교환이나 환불이 가능합니다.

1. 제품이 불량인 경우 교환이나 환불이 가능합니다.
2. 구매일로부터 7일 이내의 제품은 교환이나 환불이 가능합니다. 단, 동일 제품으로만 교환이 가능합니다.

다만 아래와 같은 경우 교환이나 환불이 불가능합니다.

제품의 포장을 개봉한 경우

개인적인 부주의로 제품이 파손된 경우

기타 문의 사항은 고객 센터로 연락 바랍니다.

어휘 풀이

- **영수증** | 거느릴 영 領, 거둘 수 收, 증거 증 證 | 돈이나 물품 따위를 받은 사실을 표시하는 증서. 예 물건을 사면 영수증을 꼭 챙겨야 한다.
- **교환** | 사귈 교 交, 바꿀 환 換 | 서로 바꿈. 예 산 지 얼마 되지 않은 라디오가 고장이 나서 새것으로 교환하였다.
- **환불** | 돌아올 환 還, 떨칠 불 拂 | 이미 지불한 돈을 되돌려줌. 예 제품에 이상이 있어서 환불을 요청했다.
- **불량** | 아닐 불 不, 어질 량 良 | 물건 따위의 품질이나 상태가 나쁨. 예 녹음 상태가 불량하다.
- **개봉** | 열 개 開, 봉할 봉 封 | 봉하여 두었던 것을 떼거나 엶. 예 오래 간직한 편지를 개봉하였다.
- **부주의** | 아닐 부 不, 물댈 주 注, 뜻 의 意 | 조심을 하지 않음. 예 부주의로 물건을 잃어버렸다.
- **파손** | 깨뜨릴 파 破, 덜 손 損 | 깨어져 못 쓰게 됨. 또는 깨뜨려 못 쓰게 함. 예 폭우로 도로가 파손되었다.

▶정답 및 해설 30쪽

1 이해

안내문의 내용을 바르게 이해한 것을 모두 골라 ◯표를 하세요.

(1) 영수증이 있어야 교환이 가능하다. (　　　　)

(2) 동일한 제품으로만 교환이 가능하다. (　　　　)

(3) 동생이 가지고 놀다가 망가진 장난감도 교환이 가능하다. (　　　　)

2 유추

지영이가 8월 3일에 구매한 물건을 환불하려 할 때, 다음 중 환불이 가능한 날짜를 모두 골라 ◯표를 하세요.

(1) 8월 4일 (　　　　)

(2) 8월 7일 (　　　　)

(3) 8월 13일 (　　　　)

힌트
7일 이내 환불이 가능해요. '이내'는 '일정한 범위나 한도의 안.'을 뜻하는 말이에요.

스스로 독해 해결! 서술형

3 이해

안내문에서 다음 사진을 통해 전하려는 내용이 무엇인지 쓰세요.

제품의 (1) ______________________ 경우 교환이나 환불이 (2) ____________하다.

4 요약

이 글에서 안내하는 내용을 정리하여 빈칸에 알맞은 말을 각각 쓰세요.

제품이 ❶ [　][　] 이거나 구매일로부터 7일 이내인 경우 영수증을 가지고 가면 교환이나 환불이 가능하다. 다만, ❷ [　][　][　] 이 있어도 교환이나 환불이 불가능한 경우가 있으니 미리 확인해야 한다.

4주 5일

▶ 정답 및 해설 30쪽

1

다음 설명에서 '불-'이 어떤 뜻을 더해 주는지 알아보고, 그림에 알맞은 '불-'이 붙은 낱말을 각각 쓰세요.

> **불-** '아님, 어긋남'의 뜻을 더해 주는 말.
>
> 예 • 불가능: 가능하지 않음.
>
> • 불공정: 공평하고 올바르지 않음.

(1) ☐☐☐ : 어느 편으로 치우쳐 고르지 않음.

(2) ☐☐☐ : 완전하지 않음.

힌트 좋아하는 반찬만 골라 먹으면 영양소를 균형 있게 섭취할 수 없다는 것을 생각해 보아요.

2

빈칸에 알맞은 말을 보기 에서 찾아 쓰세요.

> **보기**
>
> 완벽 부주의 꼼꼼

오늘 나는 야구공을 가지고 놀다가 실수로 화분을 깨뜨렸다. 화가 난 엄마의 모습에 놀라서 나도 모르게 내가 깨지 않았다고 거짓말을 했다.

내 ☐ 한 행동으로 화분이 깨졌는데 거짓말까지 했으니 정말 잘못한 일이라고 생각한다.

▶정답 및 해설 30쪽

◎ 영수증 탐정 고도일은 영수증을 꼼꼼하게 살펴보며 다양한 정보를 얻었어요. 다음 지영이의 영수증에서 확인할 수 있는 정보를 찾아 빈칸을 채워 보세요.

영수증(고객용)

매장명: 천재서점
전화번호: 02-3282-0000
주소: 서울특별시 금천구 가산로9길
판매 일시: 20××-11-01 오후 2:38

1. 똑똑한 하루 독해	2	20,000
2. 우등생 해법 수학	1	16,500
3. 지식 탐험 스티커북	1	5,500
합계		42,000
할인		0
신용 카드		42,000

[김지영]님의 정보

구매 포인트	2,100
잔여 포인트	23,500

영수증

매장명: 싱싱마트
전화번호: 02-3112-0000
주소: 서울특별시 금천구 가산로3길
판매 일시: 20××-11-01 오후 3:50

1. 김밥용 김	1	5,000
2. 김밥용 단무지	1	1,500
3. 김밥용 햄	1	4,700
4. 학생용 가방	1	30,000
5. 접시	2	10,000
합계		51,200
할인		0
신용 카드		51,200

영수증 탐정 고도일의 분석 노트

❶ 지영이는 천재서점에 들렀다가 ______________ 로 갔다.

❷ 지영이는 천재서점에서 ______________권의 책을 샀다.

❸ 지영이는 싱싱마트에서 김, 단무지, 햄 등 ______________을 만들 재료를 샀다.

❹ 지영이가 싱싱마트에서 구매한 상품 중 가장 비싼 것은 ______________이다.

❺ 지영이는 천재서점과 싱싱마트에서 총 ______________원을 결제했다.

「교환·환불 안내」에 나오는 영수증을 떠올리며 **영수증에서 다양한 정보를 얻는 방법**에 대해 알아보고 **총 결제 금액을 계산**해 봅니다.

누구나 100점 테스트

[1~3] 다음 글을 읽고, 물음에 답하세요.

㈎ 가장 인자하고 현명한 돼지인 메이저 영감이 그 연단 위로 올라갔다. 메이저 영감은 농장에서 가장 존경받는 동물이었다.

㈏ "죽기 전에 내가 알게 된 지혜를 여러분에게 얘기해 주고 싶었습니다. 자, 여러분. 우리는 지금 어떻게 살고 있습니까? 우리는 평생 고생만 하다가 도축장에 끌려가 죽게 됩니다. 얼마나 ㉠비참한 죽음입니까? 인간들을 보세요. 인간들은 우리처럼 일하지도 않고 우리가 만든 것을 쓰지 않습니까? 우리가 살기 힘든 것은 모두 인간들의 잘못입니다. 우리 모두 일어나서 인간들을 몰아냅시다!"

1 연설을 하고 있는 인물의 이름을 글 ㈎에서 찾아 세 글자로 쓰세요.

( )

2 글 ㈏에서 인간을 몰아내자고 한 까닭은 무엇인가요? ( )

① 먹이를 제때 주지 않아서
② 다른 동물들과 차별하여서
③ 동물들이 만든 것을 쓰지 않아서
④ 우리를 깨끗이 청소해 주지 않아서
⑤ 동물들을 평생 고생시키고 도축장에 끌고 가 죽게 해서

3 다음 중 ㉠의 뜻을 골라 ○표를 하세요.

(1) 더할 수 없이 슬프고 끔찍한. ( )
(2) 어질고 슬기로워 사리에 밝은. ( )
(3) 연설이나 강연을 하는 사람이 올라서는 단. ( )

[4~5] 다음 글을 읽고, 물음에 답하세요.

지레는 힘점, 받침점, 작용점의 위치에 따라 세 가지 종류로 나뉘어요. 받침점이 가운데에 있는 1종 지레, 받침점과 힘점 사이에 작용점이 있는 2종 지레, 받침점에서 작용점까지의 길이가 받침점에서 힘점 사이의 길이보다 긴 3종 지레로 나눌 수 있어요.

작은 힘으로 큰 힘을 낼 수 있는 1종 지레의 원리를 이용한 도구에는 가위, 시소, 저울 등이 있어요. 그리고 병따개, 손수레 등은 2종 지레의 원리를 이용한 도구예요. 젓가락, 핀셋, 족집게는 3종 지레의 원리를 이용한 도구인데, 작은 것을 세밀하게 다룰 수 있고 물체를 빠르게 움직일 수 있어요.

4 다음 중 1종 지레의 원리를 나타낸 그림을 찾아 ○표를 하세요.

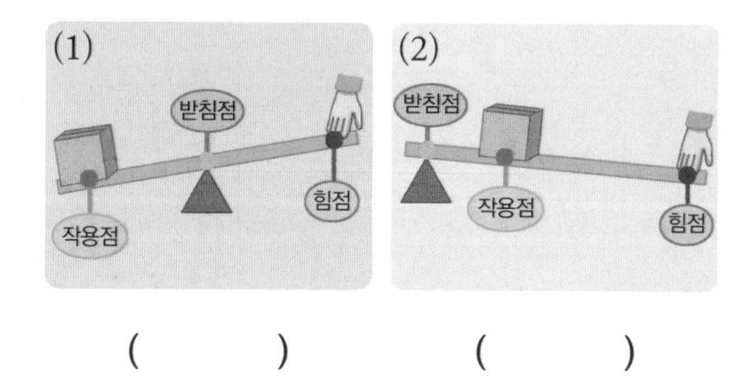

( ) ( )

5 3종 지레의 원리를 이용한 도구끼리 짝 지은 것은 무엇인가요? ( )

① 핀셋, 가위
② 시소, 저울
③ 병따개, 손수레
④ 젓가락, 족집게
⑤ 스테이플러, 가위

▶정답 및 해설 30쪽

6 다음 희곡으로 연극 공연을 준비할 때 반드시 준비해야 할 소품에 ○표를 하세요.

> 박 선생: (순금이에게 다가가서 순금이를 부둥켜안아 일으키며) 순금아, 영욱이가 오고 있어!
> 순금: (겨우 눈을 뜨고는 힘없는 소리로) 선생님, 이 소라고둥 영욱이 주려고 땄는데…….

(산호초 , 소라고둥)

[7~8] 다음 글을 읽고, 물음에 답하세요.

> ㈎ 몇 해 전, 서양의 배가 조선에 오더니 조선과 교역을 요구해 왔다. 당시 우리 조선은 정치·사회적으로 많이 힘든 상태였다.
> ㈏ 그래서 그들과 교역을 하지 않겠다고 말했다.
> 그랬더니 그들이 침입해 왔다. 우리 조선인들은 힘을 합쳐서 그들과 싸웠다. 그들은 우리 조선인들을 무시하고, 문화재를 빼앗아 갔으며, 우리 아버님인 남연군의 묘까지 파헤쳤다. 그들이 한 짓은 야만스러운 오랑캐들이 하는 것과 다를 바 없다. 이를 알리기 위해 나, 흥선 대원군은 척화비를 세우니, 모든 백성들은 이 척화비의 뜻을 알고 따라 주기를 바란다.

7 이 글이 쓰일 당시의 시대 상황으로 알맞은 것을 두 가지 고르시오. (　　　　　)

① 조선이 다른 나라를 침략하였다.
② 서양에서 조선의 문화를 배우러 왔다.
③ 조선은 평화로운 일상을 보내고 있었다.
④ 조선은 정치·사회적으로 많이 힘들었다.
⑤ 서양의 배가 조선과 교역을 요구하며 침입해 왔다.

8 흥선 대원군이 척화비를 세운 까닭은 무엇인지 빈칸에 들어갈 말을 찾아 쓰세요.

• 조선인에게 야만스러운 행동을 한 서양 오랑캐와 [　][　]하지 말고 맞서 싸워야 한다는 것을 알리려고

[9~10] 다음 글을 읽고, 물음에 답하세요.

> 영수증을 반드시 가지고 오셔야 교환이나 환불이 가능합니다.
> 1. 제품이 불량인 경우 교환이나 환불이 가능합니다.
> 2. 구매일로부터 7일 이내의 제품은 교환이나 환불이 가능합니다. 단, 동일 제품으로만 교환이 가능합니다.
> 다만, 아래와 같은 경우 교환이나 환불이 불가능합니다.

㉠	㉡
제품의 포장을 개봉한 경우	개인적인 부주의로 제품이 파손된 경우

9 '물건 따위의 품질이나 상태가 나쁨.'을 뜻하는 낱말을 찾아 쓰세요.

(　　　　　　　　)

10 ㉠과 ㉡에 들어갈 사진을 찾아 각각 선으로 이으세요.

(1) ㉠ •　　　　• ㉮

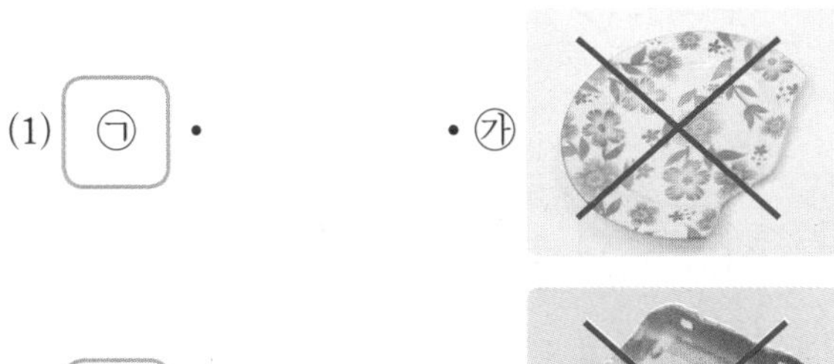

(2) ㉡ •　　　　• ㉯

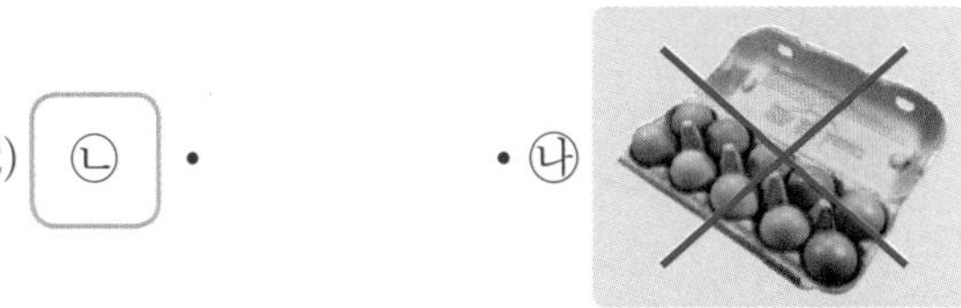

4주 평가

창의

1 다음 만화를 읽고, 4주차에서 배운 낱말을 떠올려 어휘 퀴즈에 알맞은 낱말을 빈칸에 각각 쓰세요.

▶ 정답 및 해설 31쪽

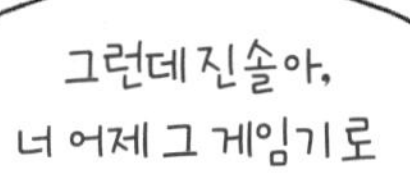

어휘 퀴즈

❶ '여러 사람 앞에서 자기의 주장이나 의견을 이야기함.'을 뜻하는 말은? →

❷ '나에게 어울리지 않는 옷을 돈으로 ○○하였다.'의 빈칸에 들어갈 알맞은 말은?
→

❸ '어떠한 현상을 일으키거나 영향을 미침.'을 뜻하는 말은? →

코딩

2 서양의 배들과 싸우며 글자를 모아 흥선 대원군이 있는 곳에 도착할 수 있도록 코딩 명령을 따라가세요. 그리고 모은 글자를 차례대로 빈칸에 써넣어 척화비의 내용을 완성하세요.

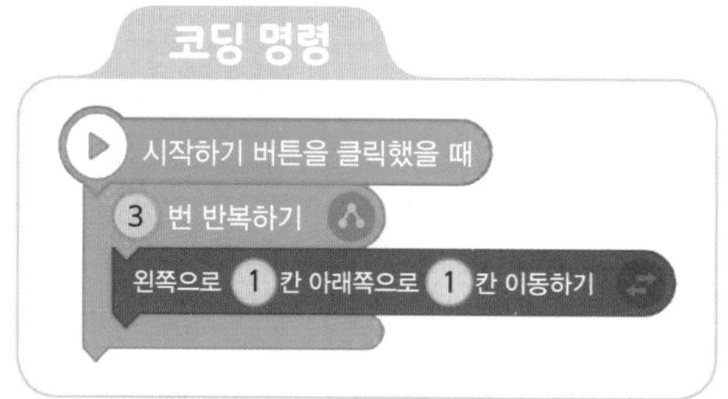

서양 ____ ____ ____ 가 침범하였을 때 그들과 싸우지 않으면 화해하는 것이요, ____ ____ 를 주장하는 것은 나라를 파는 일이다. – 척화비

▶정답 및 해설 31쪽

융합

3 영우가 마트에서 산 물건 가운데 몇 가지를 환불받으려고 해요. 영수가 돌려받아야 할 돈은 모두 얼마인지 쓰세요.

CH Market

영수증 미지참시 교환/환불 불가
※정상 식품에 한함,
30일 이내 (신선 7일)
구매/환불 구매점에서 가능
(결제 카드 지참)

[구매]20○○-○○-○○ 13:18

상품명	단가	수량	금액
바나나 우유	800	2	1,600
감자칩	1,300	1	1,300
돼지고기	20,000	1	20,000
레몬 사탕	2,500	3	7,500
딸기	12,000	2	
샴푸	5,800	1	
합 계			60,200

영우가 환불받아야 하는 돈은 ( ) 원입니다.

창의

4 옷에 붙어 있는 주의 사항을 보고 알맞은 낱말에 ○표를 하세요.

생활 어휘

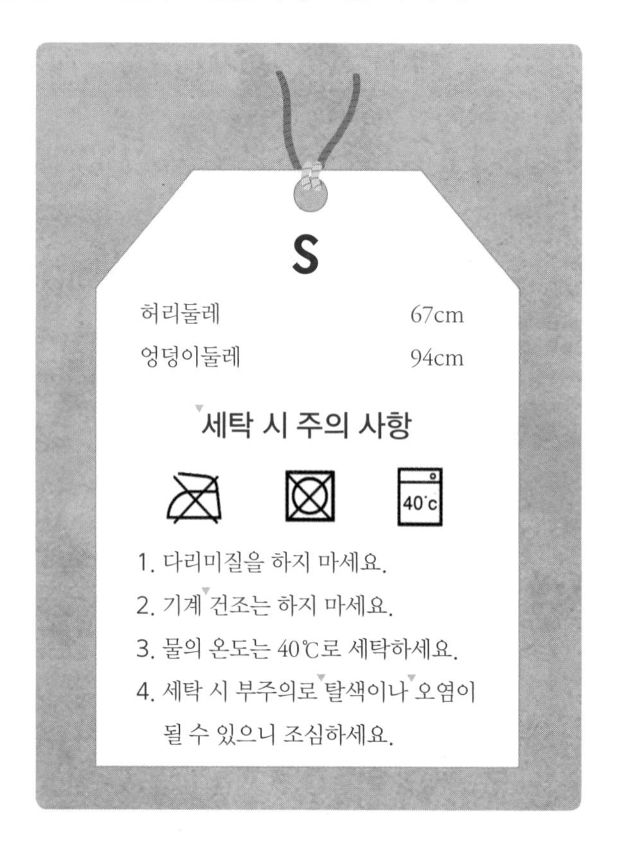

얘들아! 옷의 안쪽에는 세탁할 때 주의해야 할 점이 적혀 있어.

이 옷은 40도의 온도에서 세탁해야 되는데, 기계를 사용해서 (1) (말리면 , 적시면) 옷이 망가질 수 있어. 그리고 세탁 과정에서 조심하지 않으면 옷의 색이 (2) (빠지 , 선명해지)거나 (3) (깨끗하게 , 더럽게) 물들 수 있으니까 조심해.

어휘 풀이

- **세탁** | 씻을 세 洗, 씻을 탁 濯 | 주로 기계를 이용하여 더러운 옷 따위를 빠는 일.
  - 예 운동할 때 입는 옷은 매일 세탁을 해야 한다.
- **건조** | 마를 건 乾, 마를 조 燥 | 물이나 습기가 말라서 없어짐. 또는 물기나 습기를 말려서 없앰.
  - 예 피부 건조를 막기 위해서는 물을 자주 마셔야 한다.
- **탈색** | 벗을 탈 脫, 빛 색 色 | 섬유 제품 따위에 들어 있는 색깔을 뺌.
  - 예 표백제 때문에 색깔 있는 옷이 탈색되었다.
- **오염** | 더러울 오 汚, 물들일 염 染 | 더럽게 물듦. 또는 더럽게 물들게 함.
  - 예 이곳은 지하수 오염이 심각한 상태이다.

▶정답 및 해설 31쪽

창의
5 作(지을 작) 자에 대해 알아보고, 다음 물음에 답하세요.
생활 한자

(1) 作 자가 들어간 낱말을 알아보고, 한자의 음을 쓰세요.

① 作品을 완성하는 데 꼬박 한 달이 걸렸다.

② 약을 잘못 먹었더니 副作用으로 온몸에 반점이 생겼다.

| 부 | | 용 |

힌트
146쪽에서 공부한 '작용'에 쓰인 作(지을 작) 자에 대해 알아보아요.

(2) 한자 성어의 뜻을 알아보고, 빈칸에 알맞은 한자를 쓰세요.

단단히 먹은 마음이 사흘을 가지 못한다는 뜻으로, 결심이 굳지 못함을 이르는 말.

• 동생과 매일 운동을 하기로 했지만  心 三 日 (작심삼일)로 끝났다.

똑똑한 하루 독해 한권 끝!

독해 공부 하느라 수고했어요.
약속을 잘 지켰는지 돌아보고 ◯표를 하세요.

약속한 사람 ____________

첫째, 하루하루 빠짐없이 꾸준히 공부했나요? 예 아니요

둘째, 하루 독해 문제를 끝까지 다 풀었나요? 예 아니요

셋째, 틀린 문제는 왜 틀렸는지 다시 한번 확인했나요? 예 아니요

똑똑한 하루 독해 6단계 B권이 끝났어요.
완성된 독해력으로 앞으로도 열심히 공부해 봐요!

기초
학습능력 강화
프로그램

똑 똑 한
하루
독해

정답 및 해설

천재교육

정답과 해설 포인트 3가지

▶ 혼자서도 이해할 수 있는 친절한 문제 풀이

▶ 문제 해결에 도움을 주는 '더 알아보기'와
틀린 부분을 짚어 주는 '왜 틀렸을까?'

▶ 예시 답안과 채점 기준 제시로 서술형 문항 완벽 대비

똑 똑 한

하루 독해

정답 및 해설

빠른 정답

1주

010쪽~011쪽 **1주에는 무엇을 공부할까? ❷**

1-1 (1) ○ **1-2** 감소
2-1 새지 **2-2** ㉰

012쪽~017쪽 **1주 1일**

독해 미리 보기
❶ 엔트리 ❷ 오브젝트 ❸ 코딩

독해
1 필요한 블록을 골라서 등 (2) 조립한다. 등
2 (1) 3 (2) 1 (3) 2 **3** ④
4 ❶ 시작 ❷ 반복 ❸ 엄마

독해 어휘
1 (2) ○ **2** 같지도 않았다
3 (1) 낯익기는 (2) 찬 (3) 후진

독해 게임
(1) ○

018쪽~023쪽 **1주 2일**

독해 미리 보기
1 명령 **2** 욕조 **3** 부피

독해
1 진호 **2** ①, ② **3** 금덩어리를 넣었을 때보다 왕관을 넣었을 때 등 **4** ❶ 순금 ❷ 부피 ❸ 물

독해 어휘
1 섞인 **2** (2) ○ **3** (1) 중량 (2) 수중

독해 게임
(1) ○ (4) ○

024쪽~029쪽 **1주 3일**

독해 미리 보기
❶ 이고 ❷ 고요히 ❸ 눈시울

독해
1 엄마께서 안 오시는 등 **2** (1) ① (2) ②
3 ④ **4** ❶ 엄마 ❷ 빗소리 ❸ 윗목

독해 어휘
1 (3) ○ **2** (1) 청년 (2) 중년 (3) 노년

독해 게임
(1) 가까운 (2) 먼 (3) 차가울

030쪽~035쪽 **1주 4일**

독해 미리 보기
❶ 진열 ❷ 매장 ❸ 상단

독해
1 ③, ④, ⑤ **2** 손님들의 눈에 띄기 쉽게 등
3 (1) 초콜릿 (2) 사탕
4 ❶ 편의점 ❷ 위치 ❸ 빅 데이터

독해 어휘
1 (1) 물건 (2) 인근 (3) 더 (4) 하단
2 (1) 도넛 (2) 비스킷 (3) 초콜릿

독해 게임
바나나우유, 삼각김밥, 호빵, 초콜릿

036쪽~041쪽 **1주 5일**

독해 미리 보기
❶ 도막 ❷ 간격 ❸ 축

독해
1 보다 길어야 **2** ②
3 풍선 자동차가 똑바로 나아가기 등
4 ❶ 7(칠) ❷ 바퀴 ❸ 바람

독해 어휘
1 (1) 붙여서 (2) 부친다 (3) 부쳐서 (4) 붙인다
2 (1) 윗마을 (2) 윗집 (3) 웃돈 (4) 윗면

독해 게임
0.4

042쪽~043쪽

누구나 100점 테스트

1 엄마 **2** (3) ○ **3** 코딩 **4** 부피
5 ② **6** (3) ○ **7** ③ **8** ④, ⑤
9 진열 **10** (2) ○

044쪽~049쪽

1주 특강

1 ❶ 구출 ❷ 활용 ❸ 통과
2 (1) ○

3 (1) 5,300 (2) 4,700
4 (1) 일정한 (2) 선물
5 (1) ① 이 상 ② 상 승
(2) 雪 上 加 霜

2주

052쪽~053쪽

2주에는 무엇을 공부할까? ❷

1-1 (1) ○ **1-2** (1) ② (2) ①
2-1 불복종 **2-2** 불개미

054쪽~059쪽

2주 1일

독해 미리 보기

1 경사 **2** 어루만지며 **3** 허물

독해

1 ⑤ **2** (1) 향기가 진동 (2) 꽃과 나무
3 (1) ① (2) ② **4** ❶ 허물 ❷ 죄 ❸ 부부

독해 어휘

1 (1) 이, 몸 (2) 나무, 잎 **2** (3) ○ **3** (1) ○

독해 게임

병자호란

060쪽~065쪽

2주 2일

독해 미리 보기

❶ 대각선 ❷ 강기슭 ❸ 상인

독해

1 ③ **2** 모두 같다. 등 **3** (1) ○
4 ❶ 숫자 ❷ 합 ❸ 점성술

독해 어휘

1 ② ○ **2** (1) 받치고 (2) 바쳤다
3 (1) 좇아 (2) 쫓아

독해 게임

15

066쪽~071쪽

2주 3일

독해 미리 보기

1 주저앉는 **2** 연대감 **3** 합세

독해

1 차도 **2** 어떤 미신적인 연대감 등
3 (2) ○ **4** ❶ 갈망 ❷ 마라톤 ❸ 꼴찌

독해 어휘

1 (1) 북따 (2) 북찌 (3) 불께 (4) 불꼬
2 (1) ○

독해 게임

빠른 정답

072쪽~077쪽

2주 4일

독해 미리 보기

❶ 전매 ❷ 선언 ❸ 행진

독해

1 (1) ○
2 ①, ②, ④
3 평화로운 투쟁 방식
4 ❶ 영국 ❷ 소금 ❸ 간디

독해 어휘

1 (2) ○
2 (1) ① (2) ②
3 (1) 다만 (2) 찰나

독해 게임

소금

078쪽~083쪽

2주 5일

독해 미리 보기

❶ 진로 ❷ 체험 ❸ 사전

독해

1 종현
2 (1) 청소년 체험관 (2) 체험 활동 보고서
3 ❶ 수령 ❷ 진로 ❸ 반납

독해 어휘

1 (1) ② (2) ①
2 (1) 일류 (2) 권력 (3) 열락
3 (1) ○ (3) ○

독해 게임

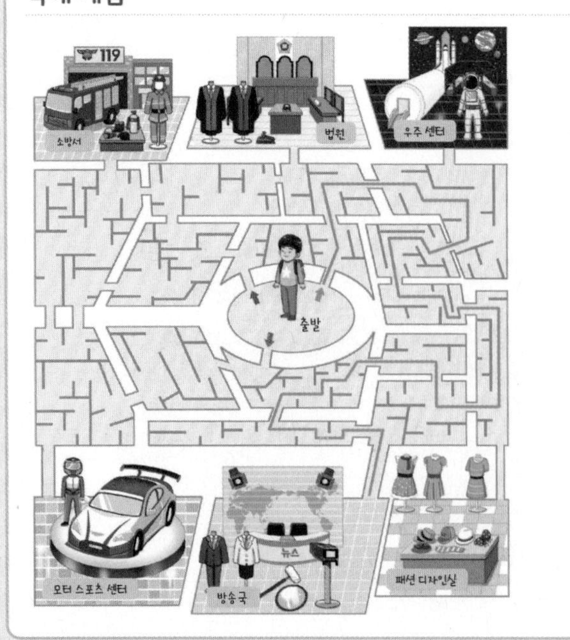

084쪽~085쪽

누구나 100점 테스트

1 장원 급제 2 ㉡ 3 죄 4 ②, ⑤
5 (1) 6 (2) 4 6 (3) ○ 7 하율
8 ② 9 소금법 10 (1) ① (2) ②

086쪽~091쪽

2주 특강

1 ❶ 업신여기다 ❷ 갈망 ❸ 탄압
2 2, 8, 44
3 (1) ○

4 (1) 갑자기 (2) 병
5 (1) ① 행 동 ② 여 행
(2) 言 行 一 致

3주

094쪽~095쪽

3주에는 무엇을 공부할까? ❷

1-1 (2) ○
1-2 ㉡
2-1 일회용
2-2 (1) ○

096쪽~101쪽

3주 1일

독해 미리 보기

❶ 조짐 ❷ 간담 ❸ 통곡

독해

1 아들 면이 엎드려 이순신을 안는 듯하더니 등

2 (1) ○ 3 유진

4 ❶ 면 ❷ 편지 등

독해 어휘

1 (1) ① (2) ② 2 (2) ○

3 (1) ② (2) ① (3) ③

독해 게임

(1) 일본 (2) 거북선

102쪽~107쪽

3주 2일

독해 미리 보기

❶ 도표 ❷ 청소년기 ❸ 급성장

독해

1 ④ 2 어느 시기가 되면 느려진다는 등

3 미조 4 ❶ 성장 ❷ 남자 ❸ 성인

독해 어휘

1 기 2 (1) ② (2) ①

독해 게임

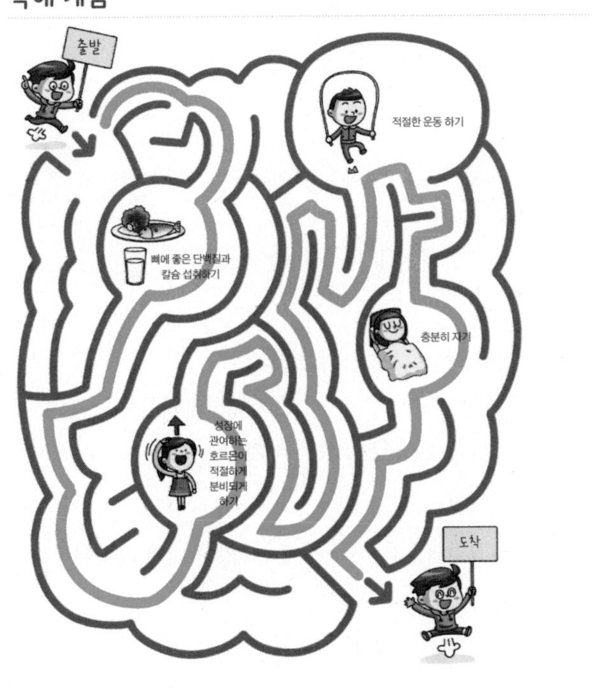

108쪽~113쪽

3주 3일

독해 미리 보기

1 양반 2 선비 3 각시

독해

1 ① 2 (2) ○ 3 (1) 탈 (2) 웃음이다.

4 ❶ 미워도 ❷ 중

독해 어휘

1 (2) ○ 2 (1) 훑어 (2) 젊은

독해 게임

114쪽~119쪽

3주 4일

독해 미리 보기

❶ 개혁 ❷ 충신

독해

1 현우 2 이성계 편으로 끌어오기 등

3 (2) ○ 4 ❶ 고려 ❷ 칡넝쿨 등 ❸ 임금

독해 어휘

1 (1) 충성심 (2) 동정심 (3) 자부심 (4) 경쟁심

2 (1) ㄹㄱ (2) ㄹㅍ (3) ㄱㅅ

독해 게임

一片丹心

빠른 정답

120쪽~125쪽

3주 5일

독해 미리 보기

❶ 동참 ❷ 제공 ❸ 할인

독해

1 환경 보호를 등 **2** ① **3** ③

4 ❶ 종이 빨대 ❷ 개인 컵

독해 어휘

1 (1) 유월 (2) 시월

2 (1) 닢 (2) 술 (3) 땀

독해 게임

(1) 18,000 (2) 18,000 (3) 32,000 (4) 32,000

126쪽~127쪽

누구나 100점 테스트

1 ③ **2** (2) ○ **3** ㉢ **4** (1) ○

5 호정 **6** 동형어 **7** 하여가 **8** ③, ⑤

9 (2) ○ (3) ○ **10** (1) ㉰ (2) ㉯ (3) ㉮

128쪽~133쪽

3주 특강

1 ❶ 화 ❷ 최적 ❸ 양해

2

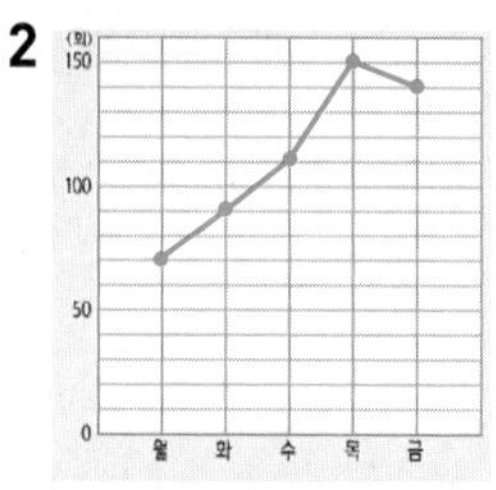

목요일, 월요일

3 (1) 2 (2) 오른쪽 (3) 2 (4) 오른쪽

4 (1) 낮고 (2) 남아 있나

5 (1) ① 청 춘 ② 청 년

(2) 靑 出 於 藍

4주

136쪽~137쪽

4주에는 무엇을 공부할까? ❷

1-1 (1) ○ **1-2** 치료하다

2-1 파손 **2-2** 파악

138쪽~143쪽

4주 1일

독해 미리 보기

1 고생 **2** 도축장 **3** 반란

독해

1 (3) × **2** 고생만 하다가 도축장에 끌려가 등

3 ③ **4** ❶ 인간 ❷ 반란

독해 어휘

1 (1) ④ (2) ③ (3) ② (4) ①

2 (1) 헛소문 (2) 헛수고

독해 게임

144쪽~149쪽

4주 2일

독해 미리 보기

❶ 도구 ❷ 지레 ❸ 핀셋

독해

1 ❶ 힘점 ❷ 받침점 ❸ 작용점

2 시소, 핀셋, 젓가락 **3** 세밀하게 다룰 수 있고 등

4 ❶ 가운데 ❷ 힘점 ❸ 작용점

독해 어휘

1 (1) ③ (2) ① (3) ② **2** (1) 적게 (2) 작아서

독해 게임

(1) 도르래 (2) 아래

150쪽~155쪽

4주 3일

독해 미리 보기

❶ 부축 ❷ 육지 ❸ 발동선

독해

1 (1) ○
2 어쩌자고 깊은 물에 들어갔느냐 등
3 ②
4 ❶ 할아버지 ❷ 소라고둥

독해 어휘

1 (1) 껴안아 (2) 가까스로 (3) 장만
2 (1) ① (2) ③ (3) ②

독해 게임

156쪽~161쪽

4주 4일

독해 미리 보기

1 교역 2 부패 3 흉년

독해

1 (1) ○
2 (1) 관리들은 부패했고 등 (2) 흉년과 늘어난 세금 등
3 ①, ②, ③
4 ❶ 오랑캐 ❷ 척화비

독해 어휘

1 침범, 침략 2 (1) ○ (3) ○

독해 게임

(1) 배 (2) 강화도

162쪽~167쪽

4주 5일

독해 미리 보기

❶ 영수증 ❷ 교환 ❸ 개봉

독해

1 (1) ○ (2) ○
2 (1) ○ (2) ○
3 (1) 포장을 개봉한 등 (2) 불가능 등
4 ❶ 불량 ❷ 영수증

독해 어휘

1 (1) 불균형 (2) 불완전 2 부주의

독해 게임

❶ 싱싱마트 ❷ 4(네) ❸ 김밥
❹ (학생용) 가방 ❺ 93,200

168쪽~169쪽

누구나 100점 테스트

1 메이저 2 ⑤ 3 (1) ○ 4 (1) ○
5 ④ 6 소라고둥 7 ④, ⑤ 8 교역
9 불량 10 (1) ㉯ (2) ㉮

170쪽~175쪽

4주 특강

1 ❶ 연설 ❷ 환불 ❸ 작용
2 오랑캐, 화해

3 29,800
4 (1) 말리면 (2) 빠지 (3) 더럽게
5 (1) ① 작 품 ② 부 작 용
(2) 作 心 三 日

1주 정답 및 해설

010쪽~011쪽 1주에는 무엇을 공부할까? ②

1-1 (1) ○　　1-2 감소
2-1 새지　　2-2 ㉰

1-1 (2)의 '사물이나 현상의 크기나 범위.'는 '규모'의 뜻입니다.

1-2 '증가'와 뜻이 반대되는 낱말은 '감소'로, '감소'는 '양이나 수치가 줆. 또는 양이나 수치를 줄임.'이라는 뜻입니다.

2-1 바람이 빠져 나가지 않게 한다는 뜻이 되어야 하므로 '새지'가 들어가야 알맞습니다.

2-2 ㉰는 지붕의 틈으로 물이 빠져 나간다는 뜻의 문장이므로 '세기'를 '새기'로 고쳐야 합니다.

1일

013쪽 똑똑한 하루 독해 미리 보기

❶ 엔트리　❷ 오브젝트　❸ 코딩

014쪽~015쪽 똑똑한 하루 독해

1 (1) 필요한 블록을 골라서 등 (2) 조립한다. 등
2 (1) 3 (2) 1 (3) 2　　3 ④
4 ❶ 시작 ❷ 반복 ❸ 엄마

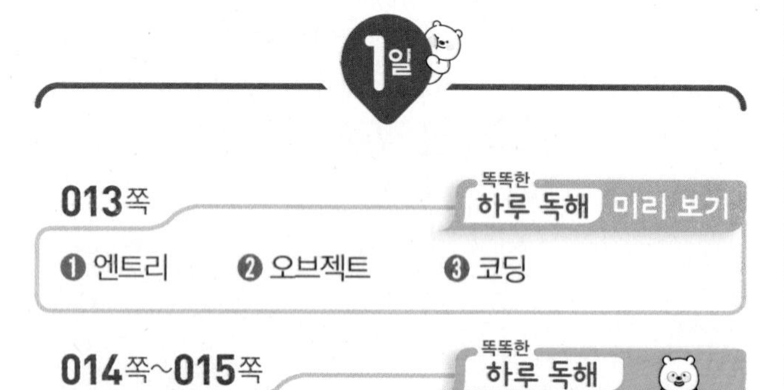

1 "왼쪽에 블록 꾸러미에서 네가 필요한 블록을 골라서 오른쪽 텅 빈 공간인 블록 조립소에서 조립하면 돼."를 보고 알 수 있습니다.

> **채점 기준**
> (1)에는 필요한 블록을 고른다, (2)에는 조립한다는 내용을 앞뒤 말에 이어지게 썼으면 정답으로 합니다.

2 먼저 '시작 블록'에서 '시작하기 버튼을 클릭했을 때'를 가져옵니다. 그 뒤 '움직임 블록'에서 '이동 방향으로 10만큼 움직이기' 블록을 가져오고, '흐름 블록'에서 '계속 반복하기' 블록을 가져옵니다.

3 10만큼 움직이기를 계속 반복한다고 하였으므로, 엄마는 오른쪽으로 계속 움직일 것입니다.

4 시작 블록의 '시작하기 버튼을 클릭했을 때', 움직임 블록의 '이동 방향으로 10만큼 움직이기', 흐름 블록의 '계속 반복하기' 블록을 순서대로 가져와 끼워 맞추니 코딩이 완료되었습니다. 그 뒤 시작 버튼을 누르니 엄마가 문을 향해 움직였습니다.

016쪽 똑똑한 하루 독해 어휘

1 (2) ○　　2 같지도 않았다
3 (1) 낯익기는 (2) 찬 (3) 후진

1 마우스를 클릭하는 행동은 (2)에 나와 있습니다.

2 '그다지'는 '않다'나 '못하다'와 함께 쓰이므로 '그다지 어려울 것 같지도 않았다'와 같이 써야 호응이 이루어집니다.

3 (1) '낯설기는'의 반대말은 '여러 번 보아서 눈에 익거나 친숙하기는.'이라는 뜻의 '낯익기는'입니다.
(2) '빈'의 반대말은 '일정한 공간에 사람, 사물, 냄새 따위가 더 들어갈 수 없이 가득하게 된.'이라는 뜻의 '찬'입니다.
(3) '전진'의 반대말은 '뒤쪽으로 나아감.'이라는 뜻의 '후진'입니다.

017쪽 똑똑한 하루 독해 게임

(1) ○

● 게임 화면에서 오브젝트는 오른쪽에 있고, 보물 상자는 왼쪽에 있습니다. 오브젝트가 보물 상자가 있는 쪽인 왼쪽을 향해 서 있으므로, 오브젝트가 보물 상자가 있는 곳에 도착하려면 이동 방향으로 계속 반복하여 움직여야 합니다. 따라서 (1)의 명령어대로 해야 목표를 이룰 수 있습니다.

정답 및 해설

019쪽 하루 독해 미리 보기

1 명령 2 욕조 3 부피

020쪽~021쪽 하루 독해

1 진호 2 ①, ② 3 금덩어리를 넣었을 때보다 왕관을 넣었을 때 등 4 ❶ 순금 ❷ 부피 ❸ 물

1 '아마 왕관의 모양을 조금도 망가뜨리지 말아야 한다는 조건이 붙었을지도 몰라.'에서 '아마 ~ ㄹ지도 몰라.'는 추측하는 말이므로 설명하는 글에 어울리는 표현이 아닙니다.

왜 틀렸을까?
'아마 ~ ㄹ지도 몰라.'는 확실한 정보를 알려 주는 말이 아니고, 설명하는 글에 어울리는 표현도 아니기 때문에 세아는 ㉠에 대하여 잘못 평가하였습니다.

2 '유레카'는 그리스어로 '찾았다.' 또는 '알았다.' 등의 뜻입니다.

3 아르키메데스가 왕관과 금덩어리를 각각 물속에 넣자, 금덩어리를 넣었을 때보다 왕관을 넣었을 때 더 많은 물이 넘쳤다고 하였습니다.

채점 기준
'금덩어리를 넣었을 때보다 왕관을 넣었을 때'라는 내용을 뒤의 말에 이어지게 썼으면 정답으로 합니다.

4 왕에게 새로 만든 왕관이 순금인지 은이 섞인 것인지를 밝혀내라는 명령을 받은 아르키메데스는 목욕을 하다가 자기 몸의 부피만큼 물이 밀려 욕조 밖으로 흐르는 것을 보게 됩니다. 아르키메데스는 무게가 똑같은 왕관과 금덩어리를 각각 물속에 넣었을 때 넘친 물의 양을 비교하여 왕관이 순금이 아니라는 것을 알아내었습니다.

022쪽 하루 독해 어휘

1 섞인 2 (2) ○ 3 (1) 중량 (2) 수중

1 '섞은'은 '을/를'과 함께 쓰이고, '섞인'은 '이/가'와 함께 쓰입니다. 따라서 '아르키메데스는 새로 만든 왕관이 순금인지, 금에 은이 섞인 것인지를 밝혀내라는 명령을 받았다.'라고 써야 알맞습니다.

2 '아르키메데스는 곧바로 왕관의 무게와 똑같은 무게의 금덩어리를 준비했어.'에서 '곧바로'는 '바로 그 즉시에.'라는 뜻입니다. 이와 같은 뜻으로 쓰인 것은 (2)의 '아이스크림은 쉽게 녹으니 사자마자 곧바로 먹어야 한다.'의 '곧바로'입니다.

왜 틀렸을까?
(1): '이 길을 따라서 곧바로 가면 탑이 나온다.'에서 '곧바로'는 '굽거나 기울지 않고 곧은 방향으로.'라는 뜻으로 쓰였습니다.

3 (1) '무게'와 뜻이 비슷한 말은 '중량'입니다.
(2) '물속'과 뜻이 비슷한 말은 '수중'입니다.

왜 틀렸을까?
'공중'은 '하늘과 땅 사이의 빈 곳.'을 뜻하고, '면적'은 '일정한 평면이나 곡면이 차지하는 크기.'를 뜻합니다.

023쪽 하루 독해 게임

(1) ○ (4) ○

- '유레카'는 '새로운 것을 발견하거나 깨달음 따위를 얻었을 때 놀람·기쁨·만족감 따위를 큰 소리로 외침. 또는 그런 것.'을 말합니다. 따라서 수학 문제를 푸는 방법을 알아서 기뻐하는 상황과 요리의 문제점을 찾아서 만족스러운 상황에서 "유레카!"라고 외칠 수 있습니다.

왜 틀렸을까?
(2): 숙제에 필요한 책이 어디 있는지 찾지 못하고 있으므로, 새로운 것을 발견하거나 깨달음 따위를 얻은 상황이 아닙니다.
(3): 공이 어디로 굴러갔는지 찾지 못하고 있으므로, 새로운 것을 발견하거나 깨달음 따위를 얻은 상황이 아닙니다.

1주 정답 및 해설

3일

025쪽 똑똑한 하루 독해 미리 보기

❶ 이고 ❷ 고요히 ❸ 눈시울

026쪽~027쪽 똑똑한 하루 독해

1 엄마께서 안 오시는 등 2 (1) ① (2) ② 3 ④
4 ❶ 엄마 ❷ 빗소리 ❸ 윗목

1 '열무 삼십 단을 이고 / 시장에 간 우리 엄마 / 안 오시네, 해는 시든 지 오래'에서 시장에 간 엄마께서 늦은 밤까지 집에 오지 않으셔서 '내'가 걱정하고 있다는 것을 알 수 있습니다.

채점 기준
엄마께서 안 오신다는 내용을 앞뒤 말과 이어지게 썼으면 정답으로 합니다.

2 '나는 찬밥처럼 방에 담겨'에서 '처럼'이라는 말을 사용하여 방에 혼자 남겨진 '나'를 '찬밥'에 비유하였습니다. 그리고 '배춧잎 같은 발소리'에서 '같은'이라는 말을 사용하여 지친 엄마의 발소리를 '배춧잎'에 비유하였습니다.

더 알아보기
비유하는 표현을 사용하면 좋은 점
- 글이나 시의 내용이 쉽게 이해됩니다.
- 글쓴이의 의도를 쉽게 파악할 수 있습니다.
- 상황이 실감 나게 느껴집니다.
- 장면이 쉽게 떠오릅니다. 등

3 '어둡고 무서워'나 '빈방에 혼자 엎드려 훌쩍거리던'으로 보아 무서운 마음, 외로운 마음, 슬픈 마음, 불안한 마음을 짐작할 수 있습니다.

더 알아보기
시를 실감 나게 읽는 방법
- 모양이나 소리를 흉내 낸 말에 주의하며 읽습니다.
- 인물의 마음을 드러낸 말에 주의하며 읽습니다. 등

4 이 시에서 '나'는 시장에 간 엄마께서 늦은 밤이 되었는데도 안 오셔서 천천히 숙제를 하고 있습니다. 그런데 엄마의 발소리가 안 들립니다. 금 간 창틈으로 고요히 빗소리가 들릴 때 '나'는 빈방에 혼자 엎드려 훌쩍거립니다. 지금도 어린 시절의 이 기억은 차가운 윗목처럼 느껴져 '나'의 눈시울을 뜨겁게 합니다.

028쪽 똑똑한 하루 독해 어휘

1 (3) ○ 2 (1) 청년 (2) 중년 (3) 노년

1 '단'은 짚, 땔나무, 채소 따위의 묶음을 세는 말이므로, '시금치 한 단'과 같이 사용할 수 있습니다.

왜 틀렸을까?
(1): 사진과 같은 용기에 담긴 쌀을 셀 때에는 '되' 등을 사용합니다.
(2): 두부를 셀 때에는 '모'를 사용합니다.

2 사람이 점점 나이가 들어 감에 따라 어린 시절은 '유년', 한창 성장하는 시절은 '청년', 마흔 살 안팎의 나이는 '중년', 나이가 들어 늙은 때는 '노년'과 같이 나타낼 수 있습니다.

029쪽 똑똑한 하루 독해 게임

아랫목은 온돌방에서 아궁이 (1) (먼 , (가까운)) 쪽의 방바닥이고, 윗목은 온돌방에서 아궁이로부터 (2) ((먼) , 가까운) 쪽의 방바닥이니까 윗목은 아랫목보다 더 (3) (따뜻할 , (차가울)) 거예요.

○ 온돌의 구조를 통해 '윗목'과 '아랫목'에 대하여 알 수 있습니다. '아랫목'은 온돌방에서 아궁이 가까운 쪽의 방바닥이므로, 아궁이에서 땐 불과 가까워서 따뜻합니다. 반면에 '윗목'은 온돌방에서 아궁이로부터 먼 쪽의 방바닥이므로, 불길보다는 연기가 지나가는 길 위에 있기 때문에 아랫목보다 차갑습니다.

4일

031쪽 똑똑한 하루 독해 미리 보기

❶ 진열 ❷ 매장 ❸ 상단

032쪽~033쪽 똑똑한 하루 독해

1 ③, ④, ⑤ **2** 손님들의 눈에 띄기 쉽게 등
3 (1) 초콜릿 (2) 사탕
4 ❶ 편의점 ❷ 위치 ❸ 빅 데이터

1 빅 데이터란 디지털 환경에서 생겨나는 대규모의 데이터를 말합니다. 빨리 만들어졌다 없어지기를 반복하고, 숫자 데이터, 문자 데이터, 동영상 등 그 형태도 다양한 것이 특징입니다.

왜 틀렸을까?

①: 숫자 데이터, 문자 데이터, 동영상 등 그 형태가 다양하다고 하였으므로 형태가 한 가지라는 것은 빅 데이터의 특징으로 알맞지 않습니다.

②: 편의점에서 판매할 상품을 빅 데이터를 활용하여 진열한다고 하였으므로 과학 분야에서만 활용되고 있다는 것은 빅 데이터의 특징으로 알맞지 않습니다.

2 편의점은 좁은 공간을 효과적으로 사용하고 손님들의 눈에 띄기 쉽게 상품을 진열하기 위해 빅 데이터를 활용하고 있다고 하였습니다.

채점 기준
'손님들의 눈에 띄기 쉽게'라는 내용이 들어가게 답을 썼으면 정답으로 합니다.

3 빅 데이터 분석 결과 초콜릿은 겨울철에 잘 팔리고 사탕은 봄과 여름에 잘 팔리다가 11월부터 덜 팔리는 것으로 나타났다고 한다면 날씨가 추워지면 초콜릿을 눈에 잘 띄는 진열대 상단에 놓고, 날씨가 더워지면 사탕을 진열대 상단에 놓는 식으로 변화를 줄 수 있습니다.

4 각 문단에서 중요한 내용을 정리하면 이 글을 통해 전하려고 하는 생각인 중심 생각을 파악할 수 있습니다.

034쪽 똑똑한 하루 독해 어휘

1 (1) 물건 (2) 인근 (3) 더 (4) 하단
2 (1) 도넛 (2) 비스킷 (3) 초콜릿

1 (1) '상품'의 비슷한말은 '사고파는 물품.'이라는 뜻의 '물건'입니다.
(2) '근처'의 비슷한말은 '이웃한 가까운 곳.'이라는 뜻의 '인근'입니다.
(3) '덜'의 반대말은 '어떤 기준보다 정도가 심하게. 또는 그 이상으로.'라는 뜻의 '더'입니다.
(4) '상단'의 반대말은 '여러 단으로 된 것의 아래의 단.'이라는 뜻의 '하단'입니다.

2 '도넛', '비스킷', '초콜릿'이 맞춤법에 맞는 표기입니다. 틀리기 쉬운 말이므로 잘 알아 둡니다.

035쪽 똑똑한 하루 독해 게임

● 편의점 주인은 판매할 상품으로 어제 판매 1위인 바나나우유, 신선 제품인 삼각김밥, 겨울철에 잘 팔리는 호빵, 밸런타인데이(2월 14일) 전날이므로 그와 관련된 상품인 초콜릿을 주문해야 합니다.

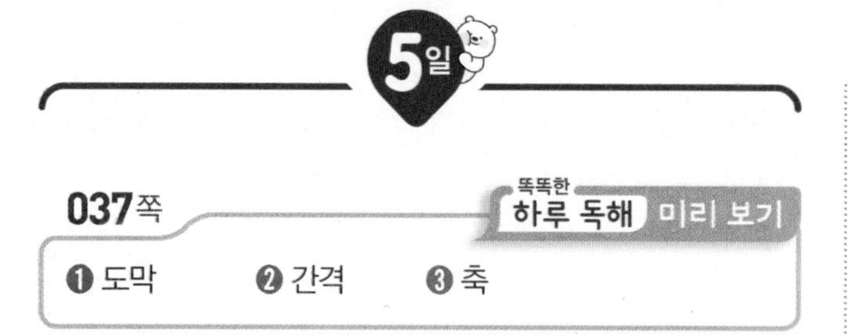

5일

037쪽 똑똑한 하루 독해 미리 보기

❶ 도막 ❷ 간격 ❸ 축

038쪽~039쪽 똑똑한 하루 독해

1 보다 길어야 2 ② 3 풍선 자동차가 똑바로 나아가기 등 4 ❶ 7(칠) ❷ 바퀴 ❸ 바람

1 빨대 도막은 7센티미터이고 빨대 도막이 바퀴 축보다 길면 안 된다고 했기 때문에 바퀴 축은 7센티미터보다 길어야 합니다.

2 고무풍선의 주둥이를 가위로 잘라 낸 다음, 고무풍선의 입구에 주름 빨대를 끼우고 셀로판테이프로 바람이 새지 않도록 붙인다는 설명을 잘 보여 줄 수 있는 사진을 골라 봅니다.

왜 틀렸을까?

①: 고무풍선 사진입니다. 준비물을 보여 줄 때의 사진으로 알맞습니다.

③: 완성된 풍선 자동차에 공기를 넣는 사진이므로 풍선 자동차를 만드는 방법을 보여 주는 사진으로 알맞지 않습니다.

④: 풍선 자동차들이 경기를 하는 사진이므로 풍선 자동차를 만드는 방법을 보여 주는 사진으로 알맞지 않습니다.

3 주의 사항에서 빨대 도막 2개를 우드록에 나란하게 붙여야 풍선 자동차가 똑바로 나아간다고 했습니다.

채점 기준

풍선 자동차가 똑바로 나아간다는 내용이 들어가게 답을 썼으면 정답으로 합니다.

4 풍선 자동차 만드는 방법을 순서 짜임에 알맞게 간단하게 요약해 봅니다.

더 알아보기

이 글은 시간 순서에 따라 풍선 자동차 만드는 방법을 설명하고 있습니다.

040쪽 똑똑한 하루 독해 어휘

1 (1) 붙여서 (2) 부친다 (3) 부쳐서 (4) 붙인다
2 (1) 윗마을 (2) 윗집 (3) 웃돈 (4) 윗면

1 '맞닿아 떨어지지 않게 하다.'의 '붙이다'와 '모자라거나 미치지 못하다.'의 '부치다' 중 어떤 뜻으로 쓰이고 있는지 각각 구분해 봅니다.

2 (1) '윗마을', '아랫마을'이라는 말이 모두 있으므로 '윗마을'이라고 쓰는 것이 알맞습니다.
(2) '윗집', '아랫집'이라는 말이 모두 있으므로 '윗집'이라고 쓰는 것이 알맞습니다.
(3) '아래 돈'이라는 말은 없으므로 '웃돈'이라고 쓰는 것이 알맞습니다.
(4) '윗면', '아랫면'이라는 말이 모두 있으므로 '윗면'이라고 쓰는 것이 알맞습니다.

041쪽 똑똑한 하루 독해 게임

풍선 자동차는 4초 후에 1.6미터 지점을 통과했어요. 따라서 풍선 자동차의 속력은 이동 거리 1.6미터를 걸린 시간인 4초로 나누어서 초속 (0.3 , (0.4), 0.5)미터가 돼요.

○ 풍선 자동차의 속력은 다음과 같이 구합니다.

1.6미터 ÷ 4초 = 초속 0.4미터

042쪽~043쪽 평가 누구나 100점 테스트

1 엄마	2 (3) ○	3 코딩	4 부피
5 ②	6 (3) ○	7 ③	8 ④, ⑤
9 진열	10 (2) ○		

1 오브젝트인 엄마를 움직인다는 말이 나오고, "우리 엄마, 좀비한테 잡힐 거야!"라는 말에서 엄마를 구해야 함을 추측할 수 있습니다. 여기에서 '오브젝트'는 '코딩 명령어로 움직일 수 있는 캐릭터나 사물이나 배경.'을 뜻합니다.

2 딱 10만큼밖에 못 가면 엄마가 좀비한테 잡힐 수 있는데, '흐름 블록'에 '계속 반복하기' 블록을 가져오면 10만큼 움직이는 행동을 계속 반복하기 때문에 좀비로부터 엄마를 보호할 수 있습니다.

3 '코딩'은 '작업의 흐름에 따라 프로그램 언어의 명령문을 써서 프로그램을 작성하는 일.'을 뜻합니다.

더 알아보기

코딩

코딩은 어떤 명령을 컴퓨터가 읽을 수 있는 형태의 언어인 코드로 입력하는 것을 뜻합니다. 스마트폰, 자동차, TV, 컴퓨터 등에 있는 프로그램을 작동하기 위해서는 기계가 이해할 수 있는 언어로 명령해야 하는데, 이때 쓰이는 언어가 컴퓨터 언어인 코드입니다. 코딩은 바로 이 코드를 이용해 인간의 명령을 컴퓨터가 이해할 수 있게 프로그램을 만드는 과정이라고 할 수 있습니다.

4 '넓이와 높이를 가진 물건이 공간에서 차지하는 크기.'는 '부피'의 뜻입니다.

5 왕관에 은이 섞여 있다면 왕관의 부피가 금덩어리보다 커서 더 많은 물이 넘치게 된다고 하였으므로, 왕관은 순금이 아니라 다른 물질이 섞여 있음을 짐작할 수 있습니다.

6 '열무 삼십 단을 이고 / 시장에 간 우리 엄마 / 안 오시네,'에서 '나'는 시장으로 열무를 팔러 가신 엄마를 기다리고 있음을 알 수 있습니다.

7 이 시에서 '찬밥'은 '방에 혼자 남겨진 나'를 비유한 것입니다.

왜 틀렸을까?

'배춧잎'은 지친 엄마의 발소리를 비유한 것입니다.

8 편의점은 좁은 공간을 효과적으로 사용하고, 손님들의 눈에 띄기 쉽게 상품을 진열하기 위해 빅 데이터를 활용합니다.

9 '여러 사람에게 보이기 위하여 물건을 죽 벌여 놓음.'은 '진열'의 뜻입니다.

10 빨대 도막 2개를 8센티미터 간격으로 붙인다는 말이 나오므로 (2)가 알맞습니다.

044쪽~049쪽

1 ❶ 구출 ❷ 활용 ❸ 통과
2 (1) ○
3 (1) 5,300 (2) 4,700
4 (1) 일정한 (2) 선물

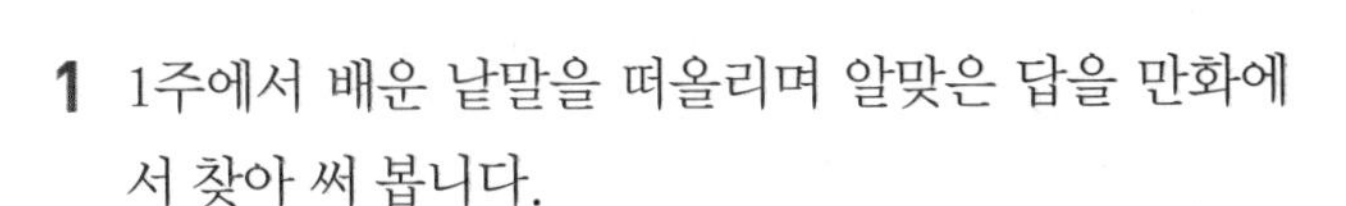

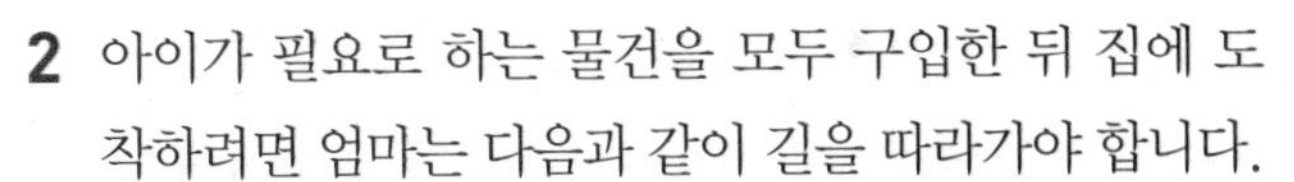

1 1주에서 배운 낱말을 떠올리며 알맞은 답을 만화에서 찾아 써 봅니다.

2 아이가 필요로 하는 물건을 모두 구입한 뒤 집에 도착하려면 엄마는 다음과 같이 길을 따라가야 합니다.

3 지우가 낸 돈은 10,000원이고 지우가 산 물건의 가격을 모두 합하면 5,300원(2,000원+1,500원+800원+1,000원)이므로, 지우는 거스름돈으로 4,700원을 받아야 합니다.

4 '양식'은 '일정한 모양이나 형식.'을 뜻하는 말이므로 양식에 맞춰 답을 작성하라는 것은 일정한 형식이 있다는 말입니다. 또한 '경품'은 '어떤 모임에서 제비를 뽑거나 하여 참가한 사람에게 선물로 주는 물건.'이므로 아이스크림은 벌이 아니라 선물입니다.

5 (1) ① 이상(以上): 수량이나 정도가 일정한 기준보다 더 많거나 나음.
② 상승(上昇): 낮은 데서 위로 올라감.
(2) 빈칸에 上(위 상) 자를 적어 '눈 위에 서리가 덮인다는 뜻으로, 난처한 일이나 불행한 일이 잇따라 일어남을 이르는 말.'이라는 뜻의 '설상가상(雪上加霜)'을 완성합니다.

052쪽~053쪽 2주에는 무엇을 공부할까? ❷

1-1 (1) ○ **1-2** (1) ② (2) ①
2-1 불복종 **2-2** 불개미

1-1 이 글에서 '풀기'는 '모르거나 복잡한 문제 따위를 알아내거나 해결하기.'의 뜻으로 쓰였습니다.

1-2 밑줄 그은 '풀다' 대신에 '문제를 해결하다'와 '얽힌 것을 아니한 상태로 되게 하다'로 바꾸어 읽어 보고, 문장의 뜻이 변하지 않는 것을 찾습니다.

2-1 간디가 행진을 한 까닭은 정부가 소금에 너무 높은 세금을 매긴 것에 대한 불복종 때문입니다.

2-2 '불개미'의 '불-'은 '붉은 빛깔을 가진'의 뜻을 더하는 말입니다.

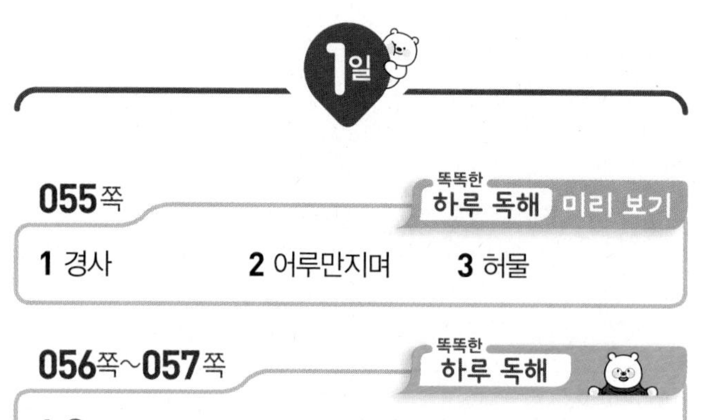

1일

055쪽 똑똑한 하루 독해 미리 보기

1 경사 **2** 어루만지며 **3** 허물

056쪽~057쪽 똑똑한 하루 독해

1 ⑤ **2** (1) 향기가 진동 (2) 꽃과 나무
3 (1) ① (2) ② **4** ❶ 허물 ❷ 죄 ❸ 부부

1 '장원 급제'는 조선 시대에 나라에서 시험을 치러 실력에 따라 관리를 선발하는 시험인 과거에서, 갑과의 첫째로 뽑히던 일을 말합니다.

(더 알아보기)
배경: 이야기에서 일이 일어나는 시간과 장소 등
- **시간적 배경**: 일이 일어나는 시간
- **공간적 배경**: 일이 일어나는 장소
- **시대적 배경**: 일이 일어난 사회 및 시대 상황

2 ㉠의 다음에 이상한 일에 대한 내용이 나옵니다.

채점 기준
'향기가 진동'과 '꽃과 나무'라는 말이 들어가게 답을 썼으면 정답으로 합니다.

3 '말문을 열었다'는 '입을 열어 말을 시작하였다.'라는 뜻이고, '둘도 없는'은 '오직 하나뿐이고 더 이상은 없는.'이라는 뜻입니다.

(더 알아보기)
관용 표현의 뜻을 파악하는 방법
- 앞뒤 문장을 잘 살펴봅니다.
- 관용 표현에 포함된 낱말의 뜻을 생각해 봅니다.

4 박씨가 허물을 벗어 원래의 모습으로 돌아오고 시백과 사이좋은 부부가 되었다는 내용이 잘 나타나게 정리해 봅니다.

058쪽 똑똑한 하루 독해 어휘

1 (1) 이, 몸 (2) 나무, 잎
2 (3) ○ **3** (1) ○

1 '세숫물'은 '손이나 얼굴을 씻는 데에 쓰는 물.'이라는 뜻으로 '세수'와 '물'이 합쳐지면서 사이에 'ㅅ'이 들어가는 낱말입니다. (1)에서 '잇몸'은 '이+ㅅ+몸'의 짜임이고, (2)에서 '나뭇잎'은 '나무+ㅅ+잎'의 짜임입니다.

2 '어떤 물체나 사람의 주위를 둘러서 가리거나 막고.'라는 뜻으로 쓰인 것은 (3)입니다.

(왜 틀렸을까?)
(1) **싸고**: 물건값이나 사람 또는 물건을 쓰는 데 드는 비용이 보통보다 낮고.
(2) **싸고**: 똥이나 오줌을 누고.

3 '고개를 조금 숙이고 온순한 태도로 말이 없이.'라는 뜻을 가진 낱말은 '다소곳이'입니다. '다소곳히'라고 쓰지 않도록 주의합니다.

059쪽 똑똑한 하루 독해 게임

청나라로 이름을 바꾼 후금이 1636년에 조선을 침입한 일을 (인조반정 , 병자호란)이라고 해요.

◎ 인조반정은 중립 외교를 반대하던 신하들이 광해군을 쫓아내고 인조를 왕으로 세운 일입니다.

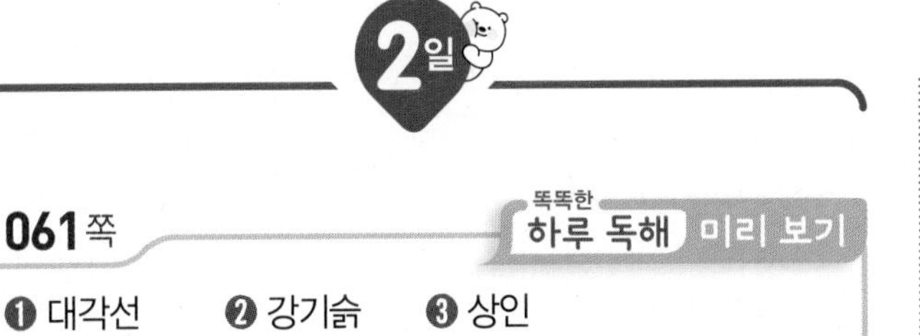

061쪽 똑똑한 하루 독해 미리 보기

❶ 대각선 ❷ 강기슭 ❸ 상인

062쪽~063쪽 똑똑한 하루 독해

1 ③ **2** 모두 같다. 등 **3** (1) ○
4 ❶ 숫자 ❷ 합 ❸ 점성술

1 마방진은 정사각형의 빈칸에 숫자를 넣어서 가로, 세로, 대각선의 합이 모두 같게 만드는 놀이를 말하는 것으로 그림 ③이 알맞습니다.

2 조선 시대 수학자 최석정이 '지수귀문도'라는 독특한 형태의 마방진을 만들어 냈는데 1에서 30까지의 수를 한 번씩 사용하여 만든 마방진으로, 육각형 각에 쓰인 수의 합이 모두 같습니다.

채점 기준
합이 모두 같다는 내용이 들어가게 답을 썼으면 정답으로 합니다.

더 알아보기

최석정 (1646~1715)

최석정은 조선 숙종 시대에 영의정을 지낸 관료이자 수학자입니다. 문장과 글씨에 뛰어났으며 양명학을 발전시켰습니다.

그의 저서 중 『구수략』에서는 그 당시 조선의 수학을 정리하고 새로운 수학을 제시하였습니다.

특히, 마방진이라는 이름으로 잘 알려진 9차 직교 라틴 방진은 스위스의 수학자 오일러가 만든 마방진보다 60년 이상 앞섰다고 합니다.

최석정의 『구수략』에는 독특한 마방진 종류가 많이 소개되어 있는데, 그 가운데 가장 유명한 것은 '지수귀문도'라고 할 수 있습니다.

이것은 육각형 9개를 배열하여 거북의 등 모양을 만들고, 꼭짓점에 1부터 30까지 수를 배열하여 육각형마다 합이 같아지게 만드는 것으로, 최석정 자신이 발견한 배열은 육각형의 합이 93이 됩니다.

3 자세히 읽기 방법으로 글을 읽어야 합니다.

더 알아보기

자세히 읽기 방법

- 필요한 내용을 찾으며 자세히 읽습니다.
- 중요한 내용이나 그것을 뒷받침하는 내용에 밑줄을 그으며 읽습니다.
- 자신이 아는 내용과 새롭게 안 내용을 비교하며 자세히 읽습니다.

4 마방진이란 무엇이며 마방진이 어떻게 생겨났는지에 대한 내용이 잘 드러나게 글의 내용을 자세히 정리해 봅니다.

064쪽 똑똑한 하루 독해 어휘

1 ② ○ **2** (1) 받치고 (2) 바쳤다
3 (1) 좇아 (2) 쫓아

1 ①은 세로선이고 ③은 가로선입니다.

왜 틀렸을까?

① **세로선**: 위에서 아래로 내려 그은 줄.
③ **가로선**: 좌우 방향으로 그은 줄.

2 (1)은 컵의 밑에 쟁반을 대고 있는 것이므로 '받치고'가 알맞고, (2)는 왕에게 정중하게 거북을 드리는 것이므로 '바쳤다'가 알맞습니다.

3 (1)은 꿈을 추구하는 것이므로 '좇아'가 알맞고, (2)는 파리를 식탁에서 떠나도록 모는 것이므로 '쫓아'가 알맞습니다.

065쪽 똑똑한 하루 독해 게임

1부터 9까지의 수가 적힌 마방진의 가로의 합은 (15)예요.

● 마방진은 정사각형에서 어느 방향에서 더해도 합이 모두 같다는 것에 주의하며 가로의 합을 계산해 봅니다. 가로의 숫자들을 더해 보면 각각 $4+9+2=15$, $3+5+7=15$, $8+1+6=15$로, 그 합이 모두 같습니다.

3일

067쪽 똑똑한 하루 독해 미리 보기

1 주저앉는　2 연대감　3 합세

068쪽~069쪽 똑똑한 하루 독해 

1 차도　2 어떤 미신적인 연대감 등
3 (2) ○　4 ❶ 갈망 ❷ 마라톤 ❸ 꼴찌

1 '차도'는 '사람이 다니는 길 따위와 구분하여 자동차만 다니게 한 길.'이라는 뜻입니다.

더 알아보기
- **인도**: 보행자의 통행에 사용하도록 된 도로.

2 글쓴이는 20등, 30등으로 달리는 주자가 주저앉는 걸 보면 자신이 주저앉고 말 듯한 어떤 미신적인 연대감을 느끼며 열렬하고도 우렁차게 마라톤 주자들을 응원했습니다.

채점 기준
어떤 미신적인 연대감이라는 내용이 들어가게 답을 썼으면 정답으로 합니다.

3 마라톤 대회에서 꼴찌 주자를 응원하는 글쓴이의 모습에 나타난 글쓴이의 생각을 파악하고, 그에 대한 자신의 생각이나 느낌을 말해 봅니다.

왜 틀렸을까?
글쓴이는 고통과 고독을 이긴 꼴찌 주자의 의지력을 위대하게 생각하여 뒤쪽에 달리는 주자들을 응원하였기 때문에 이기는 것을 중요하게 생각하여 일 등으로 달리는 주자만을 응원하였다는 여자아이의 말은 글쓴이의 생각과 맞지 않습니다.

4 마라톤 대회에서 끝까지 포기하지 않고 달리는 뒤쪽의 주자들을 보고 마라톤과 꼴찌에 대한 글쓴이의 생각이 어떻게 바뀌었는지를 생각하며 글의 내용을 정리해 봅니다.

070쪽 똑똑한 하루 독해 어휘

1 (1) 북따　(2) 북찌　(3) 불께　(4) 불꼬
2 (1) ○

1 '붉다', '붉지'는 겹받침 'ㄺ'이 자음자 앞이나 말의 끝에 와서 겹받침 'ㄺ'이 [ㄱ]으로 소리 나는 경우이고, '붉게', '붉고'는 겹받침 'ㄺ' 다음에 자음자 'ㄱ'이 와서 겹받침 'ㄺ'이 [ㄹ]로 소리 나는 경우입니다.

더 알아보기
겹받침 'ㄺ' 뒤에 오는 'ㄱ, ㄷ, ㅂ, ㅅ, ㅈ'은 [ㄲ, ㄸ, ㅃ, ㅆ, ㅉ]으로 소리 나는 것에 주의합니다.

2 '밖에'는 '그것 말고는.', '그것 이외에는.', '기꺼이 받아들이는.', '피할 수 없는.'의 뜻을 나타내는 말로, 주로 뒤에 부정적인 뜻을 나타내는 서술어와 호응합니다.

더 알아보기
문장 성분의 호응이 바르게 이루어지도록 글을 써야 하는 까닭
문장 성분의 호응이 바르게 이루어져야 문장의 뜻을 바르게 이해할 수 있기 때문입니다.

071쪽 똑똑한 하루 독해 게임

- 자, 연필, 사과, 은행잎이 각각 어디에 숨어 있는지 살펴봅니다.

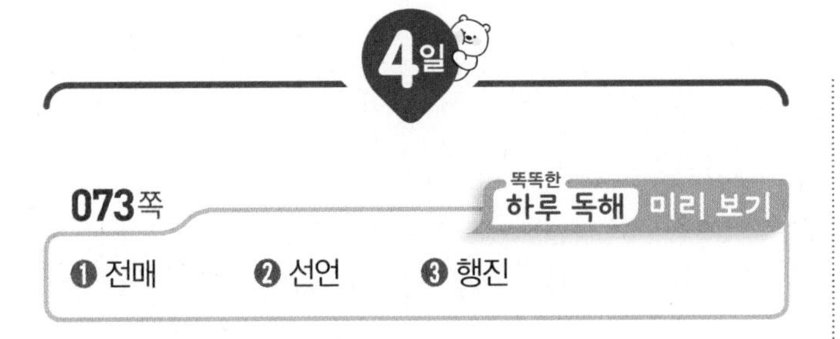

4일

073쪽 똑똑한 하루 독해 미리 보기

❶ 전매 ❷ 선언 ❸ 행진

074쪽~075쪽 똑똑한 하루 독해

1 (1) ○ **2** ①, ②, ④ **3** 평화로운 투쟁 방식
4 ❶ 영국 ❷ 소금 ❸ 간디

1 이 글의 내용을 살펴보면 당시 인도는 영국의 지배를 받아 많은 차별과 불합리한 대우를 받고 있었다는 것을 알 수 있습니다.

2 영국의 지배를 받고 있는 상황에서 간디는 소금 전매 제도에 대한 반대로 시민 불복종 운동을 선언했습니다. 소금을 만들 수 있는 단디 해안까지 24일 동안 행진했고, 단디 해안에서 손수 바닷물을 끓여 소금을 만들었습니다.

더 알아보기

전기문의 특성
- 전기문은 인물의 삶을 사실에 근거해 쓴 글입니다.
- 전기문에는 인물이 살았던 시대 상황이 나타납니다.
- 전기문에는 인물이 한 일과 인물의 가치관이 나타납니다.

3 '사탸그라하'는 간디에 의해 시작된 비폭력 저항 운동의 철학으로 힘이나 무기를 쓰지 않는 평화로운 투쟁 방식입니다.

채점 기준
평화로운 투쟁 방식이라는 내용이 들어가게 답을 썼으면 정답으로 합니다.

4 인도가 영국에 지배당한 상황에서 간디가 한 일을 중심으로 중요한 사건을 정리해 봅니다.

076쪽 똑똑한 하루 독해 어휘

1 (2) ○ **2** (1) ① (2) ②
3 (1) 다만 (2) 찰나

1 '줌'은 '한 손에 쥘 수 있는 양을 세는 단위.'로 밀가루, 설탕, 흙 등을 셀 때 씁니다.

왜 틀렸을까?

(1):  '곰'은 '짐승이나 물고기, 벌레 따위를 세는 단위.'인 '마리'를 사용하여 '곰 한 마리'라고 세어야 합니다.

(3): 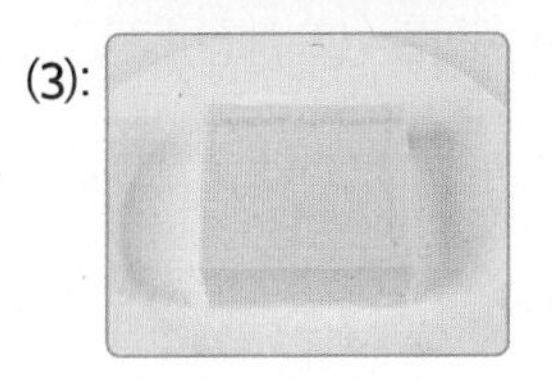 '두부'는 '두부나 묵 따위를 세는 단위.'인 '모'를 사용하여 '두부 한 모'라고 세어야 합니다.

2 (1) '비폭력'은 '폭력을 사용하지 않음.'이라는 뜻으로, 반대되는 뜻을 가진 낱말은 '폭력'입니다.
(2) '가능'은 '할 수 있거나 될 수 있음.'이라는 뜻으로, 반대되는 뜻을 가진 낱말은 '불가능'입니다.

더 알아보기

① **폭력**: 남을 거칠고 사납게 제압할 때에 쓰는, 주먹이나 발 또는 몽둥이 따위의 수단이나 힘. 넓은 뜻으로는 무기로 억누르는 힘을 이르기도 함.
② **불가능**: 가능하지 않음.

3 (1) '오직'은 '여러 가지 가운데서 다른 것은 있을 수 없고 다만.'이라는 뜻으로 '다만'과 바꾸어 쓸 수 있습니다.
(2) '순간'은 '어떤 일이 일어난 바로 그때.'라는 뜻으로 '찰나'와 바꾸어 쓸 수 있습니다.

077쪽 똑똑한 하루 독해 게임

물이 증발하면서 남은 하얀색 고체가 소 금 이에요.

● '증발'이란 '어떤 물질이 액체 상태에서 기체 상태로 변함. 또는 그런 현상.'이라는 뜻으로, 소금물을 끓이면 물이 증발하면서 하얀색 고체 물질인 소금만 남게 됩니다.

2주 정답 및 해설

079쪽 똑똑한 하루 독해 미리 보기

❶ 진로 ❷ 체험 ❸ 사전

080쪽~081쪽 똑똑한 하루 독해

1 종현 **2** (1) 청소년 체험관 (2) 체험 활동 보고서
3 ❶ 수령 ❷ 진로 ❸ 반납

1 2층에 있는 '진로 설계관'과 4~5층에 있는 '직업 세계관'의 관람 및 체험 방법에 대한 내용을 잘 살펴봅니다.

왜 틀렸을까?
4~5층에 있는 직업 세계관은 사전 예약 없이 입장이 가능한 곳이므로, 아민이는 이용 방법을 알맞게 말하지 못하였습니다.

2 3층에 있는 '청소년 체험관'의 관람 및 체험 방법에 대한 내용을 잘 살펴봅니다. 청소년 체험관은 1시간 동안 1개의 체험실을 선택하여 체험하는 곳으로, 사전에 예약을 해야 하며 체험 후에는 체험한 직업과 관련된 적성 및 흥미 유형, 대학 학과, 일자리 전망과 관련된 '체험 활동 보고서'를 지급해 줍니다.

채점 기준
'청소년 체험관'과 '체험 활동 보고서'라는 말이 들어가게 답을 썼으면 정답으로 합니다.

3 '직업 체험관'을 이용하기 위해 예약 확인 및 발권, 층별 안내, 퇴장 등으로 나누어 관람 및 체험 방법을 정리해 봅니다.

082쪽 똑똑한 하루 독해 어휘

1 (1) ② (2) ① **2** (1) 일류 (2) 궐력 (3) 열락
3 (1) ○ (3) ○

1 그림 (1)은 음식점에 오기 전에 예약을 한 상황이므로 ②가 알맞고, 그림 (2)는 모르는 낱말의 뜻을 찾는 상황이므로 ①이 알맞습니다.

2 '인류', '권력', '연락'에서 받침 'ㄴ'은 'ㄹ'의 앞에서 [ㄹ]로 소리 나므로, 각각 [일류], [궐력], [열락]으로 소리 납니다.

3 '등'은 '그 밖에도 같은 종류의 것이 더 있음을 나타내는 말.'의 뜻으로, 비슷한말은 '들', '따위'입니다.

083쪽 똑똑한 하루 독해 게임

○ 방송국이 어디에 있는지 살펴본 후 길을 찾아 갑니다.

084쪽~085쪽 평가 누구나 100점 테스트

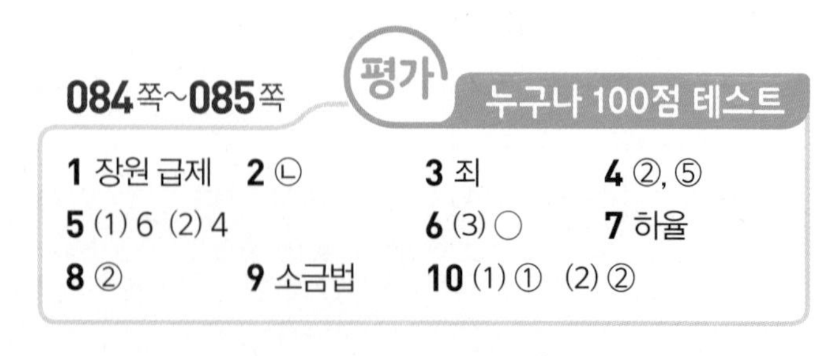

1 장원 급제 **2** ㉡ **3** 죄 **4** ②, ⑤
5 (1) 6 (2) 4 **6** (3) ○ **7** 하율
8 ② **9** 소금법 **10** (1) ① (2) ②

1 '장원 급제'라는 낱말을 통해 이 글의 시대적 배경이 조선 시대라는 것을 알 수 있습니다. '장원 급제'는 '과거에서, 갑과의 첫째로 뽑히던 일.'이라는 뜻입니다.

(더 알아보기)

박씨전

조선 후기를 배경으로, 여성 영웅이 등장하는 군담 소설입니다. 군담 소설은 전쟁이 주된 내용이 되는 고전 소설인데, '박씨전'은 우리 역사상 최악의 패배로 평가되는 병자호란을 바탕으로 합니다. 이 소설에서 박씨는 학문이 깊고 재주가 뛰어나며 다른 사람을 배려할 줄 알고, 매우 용감하고 초인적인 능력을 지닌 특별한 여성으로 등장합니다.

2 '고개를 조금 숙이고 온순한 태도로 말이 없이.'는 '다소곳이'의 뜻입니다.

3 글 (나)의 마지막 부분에 "제가 전생에 죄가 많아 흉측한 허물을 쓰고 태어났으나"라고 말한 부분에서 박씨가 흉측한 허물을 쓰고 태어난 까닭을 알 수 있습니다.

4 유럽 사람들은 마방진을 신비롭게 여겨서 점성술의 연구 대상으로 삼았고, 중국에서는 귀신을 쫓기 위해서 마방진을 사용했습니다.

(왜 틀렸을까?)

마방진은 중국에서 시작되었으며, 어느 방향으로 더해도 15가 되어야 하고, 거북의 등딱지에 있는 그림으로 시작되었습니다.

5 어느 방향으로 더해도 15가 되어야 하므로, (1)에는 6이, (2)에는 4가 들어가야 합니다.

6 '앞으론 그것을 좀 더 좋아하게 될 것 같다. 그것이 조금도 속임수가 용납 안 되는 정직한 운동이기 때문에.' 부분에서 글쓴이가 마라톤을 좋아하게 된 까닭을 알 수 있습니다.

7 이 글의 마지막 부분을 통해 글쓴이는 결과보다 과정을 더 소중히 생각하는 사람임을 짐작할 수 있습니다.

8 간디는 소금법에 대항하기 위해 해안에 가서 직접 바닷물을 끓여 소금을 만들었습니다.

9 간디는 소금을 만들 수 있는 권리는 오직 정부만이 가진다는 '소금법'을 어겼습니다.

10 '수령'은 '돈이나 물품을 받아들임.', '체험'은 '자기가 몸소 겪음. 또는 그런 경험.'이라는 뜻입니다.

086쪽~091쪽

1 ❶ 업신여기다 ❷ 갈망 ❸ 탄압
2 2, 8, 44
3 (1) ○
4 (1) 갑자기 (2) 병
5 (1) ① 행 동 ② 여 행

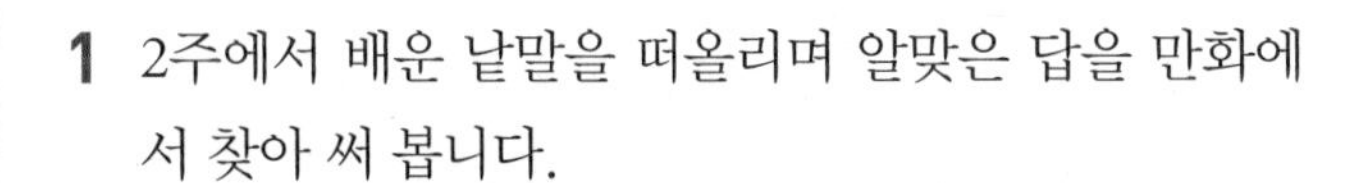

1 2주에서 배운 낱말을 떠올리며 알맞은 답을 만화에서 찾아 써 봅니다.

2 마라톤 선수가 출발한 시각은 '7시 5분 10초'이고, 도착한 시각은 '9시 13분 54초'이므로 마라톤을 완주하는 데 걸린 시간은 '2시간 8분 44초'입니다.

3 먼저 코딩 명령에 3번을 반복한다는 말이 있기 때문에, 이를 고려하여 몇 칸을 어떤 방향으로 이동해야 하는지 생각합니다.

4 '급성'은 '병 따위의 증세가 갑자기 나타나고 빠르게 진행되는 성질.'이므로, 이상 증세가 갑자기 나타나는 것을 뜻합니다. 또한 '질환'은 '몸의 온갖 병.'이므로 땀이 아니라 병이 알맞습니다.

5 (1) ① 행동(行動): 몸을 움직여 동작을 하거나 어떤 일을 함.
② 여행(旅行): 일이나 유람을 목적으로 다른 고장이나 외국에 가는 일.
(2) 빈칸에 行(다닐 행) 자를 적어 '말과 행동이 하나로 들어맞음. 또는 말한 대로 실행함.'이라는 뜻의 '언행일치(言行一致)'를 완성합니다.

094쪽~095쪽 3주에는 무엇을 공부할까? ❷

1-1 (2) ○	1-2 ㉡
2-1 일회용	2-2 (1) ○

1-1 이 글에서 '보고'는 '일에 관한 내용이나 결과를 말이나 글로 알림.'의 뜻으로 쓰였습니다.

1-2 ㉡의 '보고'는 '대상의 내용이나 상태를 알기 위하여 살피고.'의 뜻으로 쓰였습니다.

2-1 '환경 보호'는 '자연환경의 오염을 막아 위생적이고 쾌적한 생활을 유지하기 위하여 환경을 잘 가꾸고 깨끗이 보존하는 일.', '제공'은 '무엇을 내주거나 갖다 바침.', '양해'는 '남의 사정을 잘 헤아려 너그러이 받아들임.'을 뜻합니다.

2-2 주어진 세 개의 사물은 모두 한 번만 사용하고 버리는 '일회용'이라는 공통점이 있습니다.

1일

097쪽 똑똑한 하루 독해 미리 보기

❶ 조짐 ❷ 간담 ❸ 통곡

098쪽~099쪽 똑똑한 하루 독해

1 아들 면이 엎드려 이순신을 안는 듯하더니 등
2 (1) ○ 3 유진
4 ❶ 면 ❷ 편지 등

1 이순신은 새벽 2시쯤 꿈에 자신이 말을 타고 언덕 위를 가다가 말이 발을 헛디뎌 냇물 가운데 떨어졌는데 말이 거꾸러지지는 않았고, 그다음에 아들 면이 엎드려 자신을 안는 듯하더니 꿈에서 깨었다고 하였습니다.

> **채점 기준**
> 아들 면이 이순신을 안는 듯했다는 내용을 잘 썼으면 정답으로 합니다.

2 이 일기를 쓴 날인 14일의 날씨는 맑다고 하였지만, 밤 10시쯤 비가 내렸다고 하였습니다.

3 아들 면이 죽었다는 소식을 전해 들은 이순신은 슬픈 마음이 들었을 것입니다.

4 이순신이 목 놓아 통곡한 까닭을 생각해 보며 빈칸에 알맞은 말을 써 봅니다.

100쪽 똑똑한 하루 독해 어휘

1 (1) ① (2) ② 2 (2) ○
3 (1) ② (2) ① (3) ③

1 귤의 겉을 둘러싸고 있는 단단하지 않은 물질은 '껍질'이고, 호두의 겉을 둘러싸고 있는 단단한 물질은 '껍데기'입니다.

2 (1)과 (2)는 형태는 같지만 뜻이 다른 낱말인 동형어 '의지'의 두 가지 뜻입니다. 이 글에 사용된 '의지'는 '다른 것에 마음을 기대어 도움을 받음. 또는 그렇게 하는 대상.'이라는 (2)의 뜻입니다.

3 (1) '목(이) 타다'는 '심하게 갈증을 느끼다.'라는 뜻입니다.
(2) '목에 힘을 주다'는 '거드름을 피우거나 남을 깔보는 듯한 태도를 취하다.'라는 뜻입니다.
(3) '목(을) 놓아'는 '주로 울거나 부르짖을 때에 참거나 삼가지 않고 소리를 크게 내어.'라는 뜻입니다.

> **더 알아보기**
> **'목'이 들어간 관용 표현 더 알아보기** ㊎
> - **목(을) 베다**: 직장에서 쫓아내다.
> - **목(이) 곧다**: 남에게 호락호락 굽히지 않으며 억지가 세다.
> - **목(이) 막히다**: 설움이 북받치다.
> - **목에 거미줄 치다**: 가난하여 아무것도 먹지 못하는 처지가 되다.
> - **목에 걸리다**: 충격으로 음식 따위가 목구멍으로 잘 넘어가지 않다.

101쪽 똑똑한 하루 독해 게임

이순신은 (1) (미국 , 일본)의 군사들과 맞서 싸우기 위해 (2) (거북선, 자라선)을 전투에 사용했어요.

● 만화를 보고 거북선에 대해 알아봅니다.

2일

103쪽 똑똑한 하루 독해 미리 보기

❶ 도표 ❷ 청소년기 ❸ 급성장

104쪽~105쪽 똑똑한 하루 독해

1 ④ 2 어느 시기가 되면 느려진다는 등
3 미조 4 ❶ 성장 ❷ 남자 ❸ 성인

1 키가 자라는 데에는 때가 있다는 것이 원인이 되어 키가 크는 최적의 시기를 잘 알고 관리할 필요가 있다는 결과가 나온 것입니다. 이와 같이 앞의 내용이 원인이고 뒤의 내용이 결과일 때에는 이어 주는 말 '그래서'가 들어가야 합니다.

2 이 글에 제시된 도표를 보면, 초반에는 성장 곡선이 매우 가파르게 올라가다가 청소년기를 지나며 기울기가 눈에 띄게 완만해집니다. 이는 우리 몸의 성장 속도가 초반에는 매우 빠르다가 어느 시기가 되면 느려진다는 것을 뜻합니다.

채점 기준
우리 몸의 성장 속도가 초반에는 매우 빠르다는 내용과 자연스럽게 연결되게 어느 시기가 되면 느려진다는 내용을 알맞게 썼으면 정답으로 합니다.

3 여자는 만 11~12세, 남자는 만 13~14세 때 급성장 시기를 맞는다고 하였으므로 이 시기가 키가 크는 최적의 시기라는 것을 알 수 있습니다. 즉, 초등학교 6학년 무렵은 키를 키우는 데 매우 중요한 시기이므로 이 시기에 키가 크는 데 도움이 되는 방법을 알아보아야겠다고 한 미조의 말이 바른 말입니다.

왜 틀렸을까?
남자는 평균 20세, 여자는 평균 17세쯤에 자신의 성인 키에 도달하고 20세가 지나도 크는 사람이 있지만 키가 커도 1~2센티미터에 불과하다고 하였으므로 키는 20세쯤에 가장 많이 자란다는 현석이의 말은 알맞지 않습니다.

4 키가 크는 시기를 중심으로 글의 내용을 정리해 빈칸에 알맞은 말을 각각 써 봅니다.

106쪽 똑똑한 하루 독해 어휘

1 기 2 (1) ② (2) ①

1 '유아기', '청년기', '노년기'는 '시기'를 나타내는 '-기'를 사용해 인생의 각 시기를 표현하는 말입니다.

2 (1) '완만하다'는 '경사가 급하지 않다.'는 뜻으로, 이 낱말에 어울리는 그림은 ②입니다.
(2) '가파르다'는 '산이나 길이 몹시 기울어져 있다.'는 뜻으로, 이 낱말에 어울리는 그림은 ①입니다

107쪽 똑똑한 하루 독해 게임

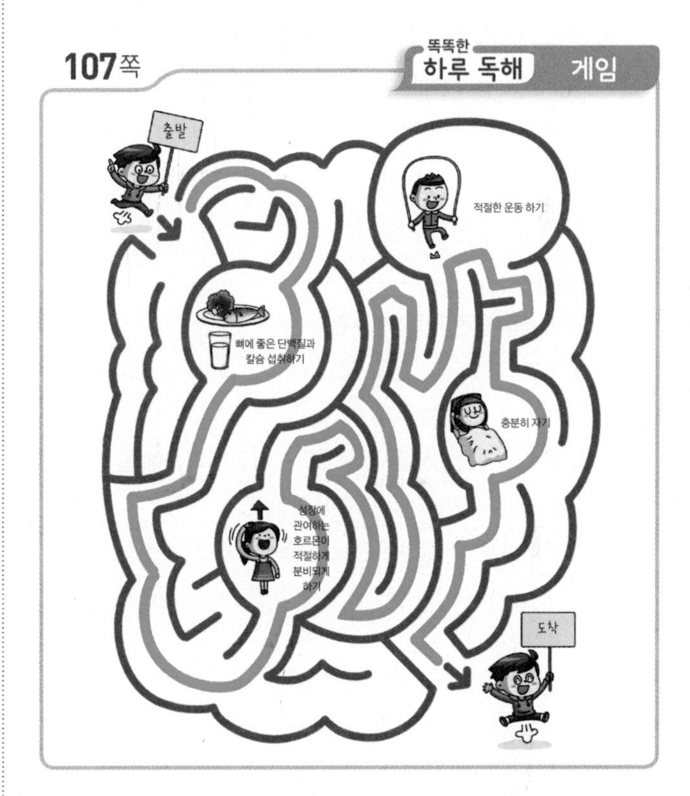

○ 키가 크는 데에 도움이 되는 방법들을 떠올리며 바르게 길을 찾아봅니다.

더 알아보기

자신의 예상 키 간단히 계산해 보기

여자 어린이: (아빠의 키+엄마의 키−13)÷2
남자 어린이: (아빠의 키+엄마의 키+13)÷2

예상 키가 작게 나왔더라도 실망할 필요는 없습니다. 키가 100퍼센트 유전에 의해서 결정되는 것은 아닙니다. 영양이나 운동, 수면, 질병, 스트레스 등 많은 원인들이 키가 크는 데 영향을 미치므로 성장기를 잘 활용하는 것이 중요합니다.

3일

109쪽 똑똑한 하루 독해 미리 보기

1 양반　　2 선비　　3 각시

110쪽~111쪽 똑똑한 하루 독해

1 ①　　2 (2) ○　　3 (1) 탈 (2) 웃음이다.
4 ❶ 미워도 ❷ 중

1 빈칸에 들어갈 낱말은 형태는 같지만 뜻이 서로 다른 낱말인 동형어로, '얼굴을 감추거나 달리 꾸미기 위하여 나무, 종이, 흙 따위로 만들어 얼굴에 쓰는 물건.'이라는 뜻과 '결함이나 허물.'이라는 뜻을 모두 가진 낱말은 '탈'입니다.

왜 틀렸을까?
② **화**: 몹시 못마땅하거나 언짢아서 나는 성.
③ **웃고**: 기쁘거나 만족스럽거나 우스울 때 얼굴을 활짝 펴거나 소리를 내고.
④ **미워도**: 모양, 생김새, 행동거지 따위가 마음에 들지 않거나 눈에 거슬리는 느낌이 있어도.
⑤ **하회마을**: 경상북도 안동시 풍천면에 있는 전통 민속 마을. 2010년에 한국의 역사 마을로 유네스코 세계 문화유산에 등재됨.

2 하회마을 탈은 화나도, 슬퍼도, 싫어도, 아파도, 미워도 웃는다고 하였으므로 알맞은 표정은 (2)입니다.

왜 틀렸을까?
(1)의 표정은 짜증이 나거나 화가 날 때 지을 수 있는 표정입니다.

3 글쓴이는 1연에서 하회마을 탈은 탈이라고 하였고, 마지막 연에서 하회마을은 웃음이라고 하였습니다.

채점 기준
탈과 웃음이라는 내용을 각각 알맞게 썼으면 정답으로 합니다.

4 시의 2연과 3연을 중심으로 탈은 왜 탈이라고 하였는지 그 까닭을 찾아 빈칸에 알맞은 말을 각각 씁니다.

112쪽 똑똑한 하루 독해 어휘

1 (2) ○　　2 (1) 훑어 (2) 젊은

1 '각시'는 '갓 결혼한 여자.'를 의미하는 말입니다. 연지·곤지를 찍어 화장한 여성의 얼굴 모양으로 만든 탈의 모습은 그림 (2)입니다. 그림 (1)은 양반탈의 모습입니다.

더 알아보기

곤지: 전통 혼례에서 신부가 단장할 때 이마 가운데 찍는 붉은 점.
연지: 여자가 화장할 때에 입술이나 뺨에 찍는 붉은 빛깔의 염료.

2 (1) '훌터'는 '훑어'를 소리 나는 대로 쓴 것입니다. 바른 표기는 '훑어'입니다.
(2) '절믄'은 '젊은'을 소리 나는 대로 쓴 것입니다. 바른 표기는 '젊은'입니다.

113쪽 똑똑한 하루 독해 게임

하회 별신굿 탈놀이는 경상북도 안동의 하회마을에 전승되어 오는 탈놀이로, 국가 무형 문화재 제69호로 지정되어 있습니다.

▲ 안동 하회마을

4일

115쪽 똑똑한 하루 독해 미리 보기

❶ 개혁 ❷ 충신

116쪽~117쪽 똑똑한 하루 독해

1 현우 2 이성계 편으로 끌어오기 등
3 (2) ○ 4 ❶ 고려 ❷ 칡넝쿨 등 ❸ 임금

1 「하여가」와 「단심가」가 지어지던 시기에는 정몽주와 같이 고려를 유지하면서 개혁을 하려는 신하들과, 이성계와 이방원같이 고려를 무너뜨리고 새로운 나라를 세우려는 신하들이 갈등을 겪었습니다.

왜 틀렸을까?
고려 사회를 유지하며 개혁을 해야 한다고 주장하고 고려 임금에 대한 변치 않는 충성심을 지켰던 정몽주와 같은 신하들이 있었으므로 은지의 말은 알맞지 않습니다.

2 이방원은 정몽주를 없애지 않고는 새로운 나라를 세울 수 없다는 아버지 이성계의 생각을 읽고, 정몽주를 설득하여 이성계 편으로 끌어오기 위해 정몽주를 집으로 초대했습니다.

채점 기준
이성계 편으로 끌어오기 위해서라는 내용을 알맞게 썼으면 정답으로 합니다.

3 '한 조각의 붉은 마음이라는 뜻으로, 진심에서 우러나오는 변치 않는 마음을 이르는 말.'인 '일편단심'과 어울리는 상황은 (2)입니다.

왜 틀렸을까?
(1)의 상황에 어울리는 한자 성어는 '돌 한 개를 던져서 새 두 마리를 잡는다는 뜻으로, 동시에 두 가지 이득을 봄을 이르는 말.'이라는 뜻의 '일석이조(一石二鳥)'입니다.

4 이방원이 지은 「하여가」와 정몽주가 지은 「단심가」에 드러난 생각을 떠올려 보고, 빈칸에 알맞은 말을 각각 정리해 봅니다.

118쪽 똑똑한 하루 독해 어휘

1 (1) 충성심 (2) 동정심 (3) 자부심 (4) 경쟁심
2 (1) ㄹㄱ (2) ㄹㅍ (3) ㄳ

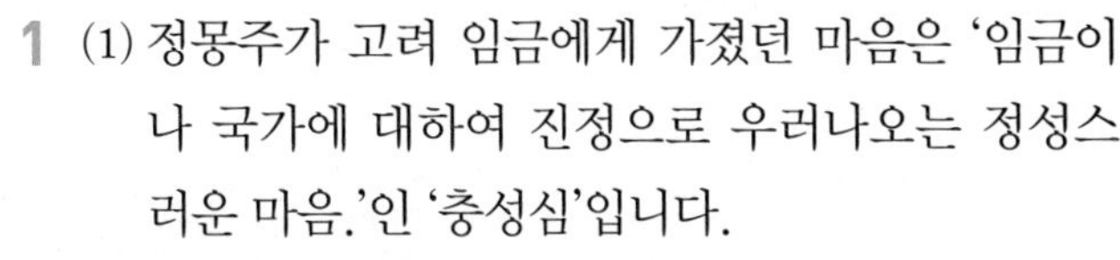

1 (1) 정몽주가 고려 임금에게 가졌던 마음은 '임금이나 국가에 대하여 진정으로 우러나오는 정성스러운 마음.'인 '충성심'입니다.

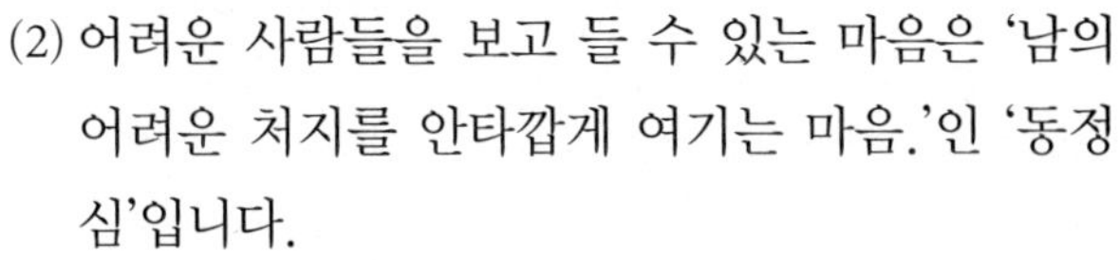

(2) 어려운 사람들을 보고 들 수 있는 마음은 '남의 어려운 처지를 안타깝게 여기는 마음.'인 '동정심'입니다.

(3) 반에서 달리기가 가장 빠른 자기 자신에 대해 가질 수 있는 마음은 '자기 자신 또는 자기와 관련되어 있는 것에 대하여 스스로 그 가치나 능력을 믿고 당당히 여기는 마음.'인 '자부심'입니다.

(4) 선우를 이기겠다는 미혜의 다짐에 어울리는 마음은 '남과 겨루어 이기거나 앞서려는 마음.'인 '경쟁심'입니다.

2 (1) '칡의 벋은 덩굴.'을 뜻하는 낱말의 바른 표기는 '칡넝쿨'입니다.

(2) '억양을 넣어서 소리를 내어 시를 읽거나 외었다. 또는 시를 지었다.'를 뜻하는 낱말의 바른 표기는 '읊었다'입니다.

(3) '사람의 몸 안에서 몸과 정신을 다스리며, 몸이 죽어도 영원히 남아 있다는 보이지 않는 존재.'를 뜻하는 낱말의 바른 표기는 '넋'입니다.

119쪽 똑똑한 하루 독해 게임

고려 임금을 향한 정몽주의 마음을 나타내는 한자 성어는 '一 片 丹 心 (일편단심)'이에요.

● '일편단심'은 '하나 일(一), 조각 편(片), 붉을 단(丹), 마음 심(心)'의 네 글자로 이루어진 한자 성어입니다.

더 알아보기
충성심을 나타내는 한자 성어 더 알아보기 예
- **견위치명(見危致命)**: 나라가 위태로울 때 자기의 몸을 나라에 바침.
- **위국충절(爲國忠節)**: 나라를 위한 충성스러운 절개.

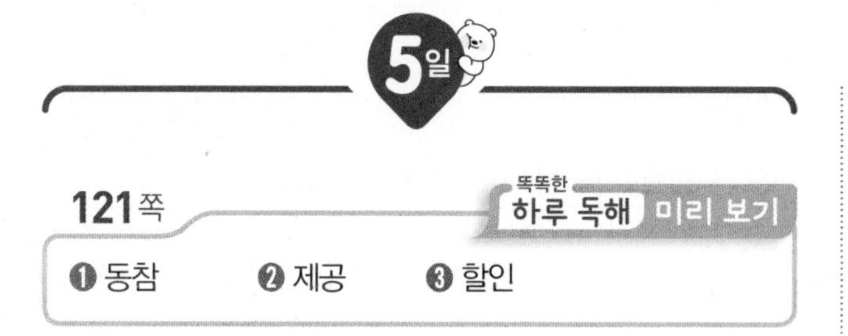

5일

121쪽 똑똑한 하루 독해 미리 보기

❶ 동참 ❷ 제공 ❸ 할인

122쪽~123쪽 똑똑한 하루 독해

1 환경 보호를 등 2 ① 3 ③
4 ❶ 종이 빨대 ❷ 개인 컵

1 10월 1일부터 천재주스에서는 환경 보호를 위해 일회용 플라스틱 빨대를 제공하지 않는다고 하였습니다.

채점 기준
환경 보호를 위해서라는 내용이 들어가 있으면 정답으로 합니다.

2 ㉠'차가운'은 '촉감이 서늘하고 썩 찬 느낌이 있는.'의 뜻을 가지는 낱말입니다. 이 낱말과 뜻이 반대인 낱말은 '손이나 몸에 상당한 자극을 느낄 정도로 온도가 높은.'의 뜻을 가진 ①'뜨거운'입니다.

왜 틀렸을까?
② **서늘한**: 물체의 온도나 기온이 꽤 찬 느낌이 있는.
③ **시원한**: 덥거나 춥지 않고 알맞게 서늘한.
④ **촉촉한**: 물기가 있어 조금 젖은 듯한.
⑤ **싸늘한**: 물체의 온도나 기온이 약간 찬 느낌이 있는.

3 개인 컵 사용 시 음료 한 잔당 300원의 할인 혜택을 준다고 하였으므로 개인 컵을 사용해 사과 주스를 구매했을 때의 가격은 사과 주스의 가격 3,200원에서 300원을 뺀 2,900원입니다.

4 10월 1일부터 무엇을 제공하는지, 어떤 경우에 300원의 할인 혜택을 받을 수 있는지 안내문의 내용을 정리하여 빈칸에 알맞은 말을 각각 씁니다.

124쪽 똑똑한 하루 독해 어휘

1 (1) 유월 (2) 시월
2 (1) 닢 (2) 술 (3) 땀

1 '6월'과 '10월'과 같은 한자어는 [육월], [십월] 또는 [유궐], [시붤]이라고 읽지 않고 사회에서 널리 쓰이는 발음하기 편한 소리로 바꾸어 [유월], [시월]과 같이 읽어야 합니다.

2 (1) 동전을 세는 알맞은 말은 '납작한 물건을 세는 단위.'인 '닢'입니다.
(2) 밥을 숟가락으로 뜬 장면에 알맞은 말은 '밥 따위의 음식물을 숟가락으로 떠 그 분량을 세는 단위.'인 '술'입니다.
(3) 바느질을 할 때 실로 꿴 흔적을 셀 수 있는 말은 '실을 꿴 바늘로 한 번 뜬 자국을 세는 단위.'인 '땀'입니다.

왜 틀렸을까?
(1) '장'은 '종이나 유리 따위의 얇고 넓적한 물건을 세는 단위.'입니다.
(2) '척'은 '배를 세는 단위.'입니다.
(3) '벌'은 '옷을 세는 단위.'입니다.

125쪽 똑똑한 하루 독해 게임

영민이가 산 크루아상 두 개, 초콜릿 쿠키 세 개, 딸기 케이크 한 조각의 가격을 더하면 (1) 18,000 원이에요.

50,000 − (2) 18,000 = (3) 32,000 이므로 영민이는 (4) 32,000 원을 거슬러 받아야 해요.

126쪽~127쪽 평가 누구나 100점 테스트

1 ③ 2 (2) ○ 3 ㉢ 4 (1) ○
5 호정 6 동형어 7 하여가 8 ③, ⑤
9 (2) ○ (3) ○ 10 (1) ㉰ (2) ㉯ (3) ㉮

1 '면이 적과 싸우다 죽었음을 알고, 간담이 떨어져 목 놓아 통곡하였다.' 부분에서 이순신의 아들 면이 적과 싸우다 죽었고 이순신이 몹시 슬퍼하고 있음을 알 수 있습니다.

2 이순신은 전쟁으로 아들을 잃었으므로 몹시 슬프고

가슴이 아팠을 것입니다.

(더 알아보기)

「난중일기」에서 이순신의 마음을 알 수 있는 부분 예
- 간담이 떨어져 목 놓아 통곡하였다.
- 간담이 타고 찢어지는 것 같다.
- 마음은 죽고 껍데기만 남은 채 울부짖을 따름이다.

3 '간과 쓸개를 아울러 이르는 말.'은 '간담'의 뜻입니다.

(왜 틀렸을까?)

㉠ '봉함': 편지를 봉투에 넣고 봉함. 또는 그 편지.
㉡ '통곡': 소리를 높여 슬피 욺.
㉣ '의지': 다른 것에 마음을 기대어 도움을 받음. 또는 그렇게 하는 대상.

4 글을 쓸 때 적절한 자료를 사용하면 글을 읽는 사람들의 이해를 돕고 흥미를 끌 수 있습니다.

(왜 틀렸을까?)

자료를 인용할 때에는 출처를 분명히 밝히고, 정확한 자료를 사용해야 합니다. 읽는 사람에 따라 다양하게 해석되는 자료는 적절하지 않습니다.

5 이 자료로 알 수 있는 내용은 두 성장 곡선 모두 초반에는 매우 가파르게 올라가다 어느 순간 완만해진다는 사실입니다.

6 주어진 '탈'이나, '눈', '밤' 등과 같이 형태는 같지만 뜻이 다른 낱말을 동형어라고 합니다.

7 이방원이 정몽주를 설득하기 위해 쓴 시의 제목은 「하여가」입니다.

8 「하여가」는 이방원이 정몽주에게 쓴 시로, 새로운 세력과 힘을 합쳐 칡넝쿨처럼 얽혀 살아가자는 내용을 담고 있습니다.

9 10월 1일부터는 환경 보호를 위해 일회용 플라스틱 빨대를 제공하지 않는 대신에 종이 빨대를 제공한다고 하였습니다.

10 '동참'은 '어떤 모임이나 일에 같이 참여함.', '방침'은 '앞으로 일을 치러 나갈 방향과 계획.', '혜택'은 '은혜와 덕택을 아울러 이르는 말.'을 뜻합니다.

128쪽~133쪽

1 ❶ 화 ❷ 최적 ❸ 양해

2

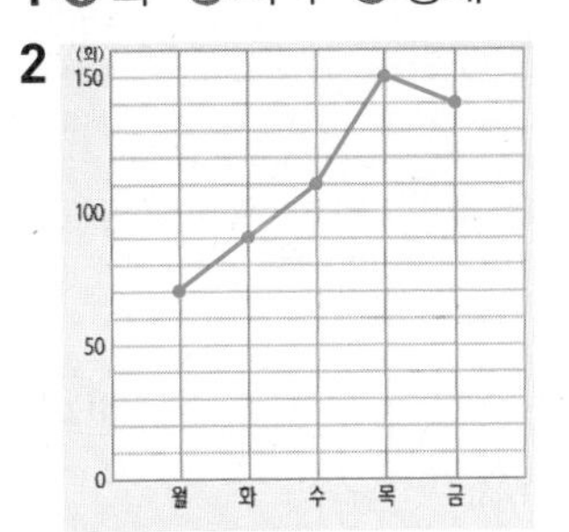

목요일, 월요일

3 (1) 2 (2) 오른쪽 (3) 2 (4) 오른쪽

4 (1) 낮고 (2) 남아 있나

5 (1) ① 청 춘 ② 청 년

(2) 靑 出 於 藍

1 3주에서 배운 낱말을 떠올리며 알맞은 답을 만화에서 찾아 써 봅니다.

2 그래프의 수치를 파악하며 답을 찾아봅니다.

3 모든 장소를 거쳐 숙소에 도착하려면 어느 방향으로, 몇 칸을 이동해야 하는지 생각해 봅니다.

4 '저상 버스'는 휠체어를 타고 쉽게 오를 수 있도록 바닥이 낮은 버스이고, '여유'는 넉넉하게 남아 있다는 뜻입니다.

5 (1) ① 청춘(靑春): 십 대 후반에서 이십 대에 걸치는 인생의 젊은 나이 또는 그런 시절을 이르는 말.

(1) ② 청년(靑年): 신체적·정신적으로 한창 성장하거나 무르익은 시기에 있는 사람.

(2) 빈칸에 들어갈 한자는 靑(푸를 청) 자입니다.

4주 정답 및 해설

136쪽~137쪽 4주에는 무엇을 공부할까? ❷

1-1 (1) ○ 1-2 치료하다
2-1 파손 2-2 파악

1-1 '눈을 고치다'는 눈에 난 병을 치료한다는 의미입니다.

1-2 병을 잘 고친다고 하였으므로, 병을 치료한다는 말로 바꾸어 쓸 수 있습니다.

2-1 사진 속의 접시가 깨져 있으므로, '파손'이 들어가야 알맞습니다.

2-2 물건이나 대상의 상태가 좋지 않다는 의미이므로 '파손'이나 '훼손'이 들어가야 알맞습니다.

1일

139쪽 똑똑한 하루 독해 미리 보기

1 고생 2 도축장 3 반란

140쪽~141쪽 똑똑한 하루 독해

1 (3) × 2 고생만 하다가 도축장에 끌려가 등
3 ③ 4 ❶ 인간 ❷ 반란

1 메이저 영감은 동물들이 살기 힘든 것은 모두 인간의 잘못 때문이라며 인간을 몰아내자고 했습니다.

2 메이저 영감은 일하지 않고 동물들이 만든 것을 쓰는 인간 때문에 동물들은 평생 고생만 하다가 도축장에 끌려가 죽게 된다고 말하였습니다.

채점 기준
고생을 하다가 도축장에 끌려간다는 내용을 넣어 바르게 썼으면 정답으로 합니다.

3 '비참한'과 뜻이 비슷한 말은 '진저리가 날 정도로 참혹한.'이라는 뜻의 '끔찍한'입니다.

4 메이저 영감은 동물들이 살기 힘든 것은 모두 인간들의 잘못이라며 반란을 일으켜 인간들을 몰아내자고 말하였습니다.

142쪽 똑똑한 하루 독해 어휘

1 (1) ④ (2) ③ (3) ② (4) ①
2 (1) 헛소문 (2) 헛수고

1 '쓰다'는 여러 가지 뜻을 가진 낱말입니다.

더 알아보기

'쓰다'의 여러 가지 뜻 더 알아보기 예
- 머릿속의 생각을 종이 혹은 이와 유사한 대상 따위에 글로 나타내다.
- 서류 따위를 작성하거나 일정한 양식을 갖춘 글을 쓰는 작업을 하다.
- 모자 따위를 머리에 얹어 덮다.
- 먼지나 가루 따위를 몸이나 물체 따위에 덮은 상태가 되다.
- 달갑지 않고 싫거나 괴롭다. 등

2 낱말에 '헛-'이 붙으면 '이유 없는', '보람 없는'의 뜻을 더해 줍니다.

143쪽 똑똑한 하루 독해 게임

○ 「동물농장」에서 메이저 영감의 연설을 듣기 위해 모였던 동물은 짐마차를 끄는 말 복서와 클로버, 흰 염소 뮤리엘, 늙은 당나귀 벤자민, 새끼 오리들, 고양이 등이었습니다.

2일

145쪽 똑똑한 하루 독해 미리 보기

❶ 도구 ❷ 지레 ❸ 핀셋

146쪽~147쪽 똑똑한 하루 독해

1 ❶ 힘점 ❷ 받침점 ❸ 작용점
2 시소, 핀셋, 젓가락
3 세밀하게 다룰 수 있고 등
4 ❶ 가운데 ❷ 힘점 ❸ 작용점

1 지레는 힘점, 받침점, 작용점으로 구성되어 있으며, 이를 지레의 3요소라고 합니다. 힘점은 사람이 힘을 주는 곳을 뜻하고, 받침점은 지렛대를 받치는 곳을 뜻하며, 작용점은 물체에 힘이 작용하는 곳을 뜻합니다.

2 이 글에서 지레의 원리를 이용한 도구에는 시소, 병따개, 핀셋, 젓가락, 스테이플러 등이 있다고 하였습니다.

왜 틀렸을까?
지레는 막대의 한 점을 받치고, 그 받침점을 중심으로 움직이는 물체를 뜻합니다. 지우개, 형광펜은 한 점을 받쳐서 물체를 움직이는 도구가 아니기 때문에 지레의 원리를 이용한 도구로 볼 수 없습니다.

3 받침점에서 작용점까지의 길이가 받침점에서 힘점 사이의 길이보다 긴 3종 지레는 작은 것을 세밀하게 다룰 수 있고 물체를 빠르게 움직일 수 있습니다.

채점 기준
'세밀하게 다룰 수 있다'는 내용을 넣어 바르게 썼으면 정답으로 합니다.

4 이 글은 지레를 힘점, 받침점, 작용점의 위치에 따라 1종 지레, 2종 지레, 3종 지레로 분류하여 설명하고 있습니다. 1종 지레는 받침점이 가운데에 있어 작은 힘으로 큰 힘을 낼 수 있습니다. 1종 지레의 원리를 이용한 도구에는 가위, 시소, 저울 등이 있습니다. 받침점과 힘점 사이에 작용점이 있는 2종 지레의 원리를 이용한 도구에는 병따개, 손수레 등이 있습니다. 그리고 3종 지레는 받침점에서 작용점까지의 길이가 받침점에서 힘점 사이의 길이보다 긴 것으로 젓가락, 핀셋 등이 3종 지레의 원리를 이용한 도구입니다.

148쪽 똑똑한 하루 독해 어휘

1 (1) ③ (2) ① (3) ② **2** (1) 적게 (2) 작아서

1 (1) 이 문장은 친구가 말을 길게 끌지 않도록 중간에 끊었다는 내용이므로 '자르다'의 ③번 뜻이 사용된 문장입니다.
(2) 이 문장은 두부와 버섯, 양파를 여러 토막으로 동강 내었다는 내용이므로 '자르다'의 ①번 뜻이 사용된 문장입니다.
(3) 이 문장은 친구의 부탁을 거절하지 못했다는 내용이므로 '자르다'의 ②번 뜻이 사용된 문장입니다.

2 (1) 살을 빼려면 먹는 양을 줄여야 한다는 내용이므로 '수나 양, 정도가 일정한 기준에 미치지 못하다.'라는 뜻의 '적다'가 들어가는 것이 알맞습니다.
(2) 신발의 크기가 알맞지 않아서 불편하다는 내용이므로 '길이, 넓이 따위가 비교 대상이나 보통보다 덜하다.'라는 뜻의 '작다'가 들어가는 것이 알맞습니다.

149쪽 똑똑한 하루 독해 게임

엘리베이터는 (1) (도르래 , 바람)의 원리로 움직여요. 도르래에 연결된 엘리베이터와 추는 서로 반대 방향으로 움직이기 때문에 엘리베이터가 위로 올라가기 위해서는 추가 (2) (위 , 아래)로 움직여야 해요.

● 도르래는 바퀴에 줄을 걸어서 힘의 방향을 바꾸는 장치입니다. 엘리베이터는 도르래의 원리로 움직이는데, 도르래에 달린 추와 엘리베이터가 서로 반대 방향으로 움직이면서 오르락내리락하게 됩니다. 따라서 엘리베이터가 위로 올라가기 위해서는 도르래에 연결된 추가 아래로 내려가야 합니다.

4주 정답 및 해설

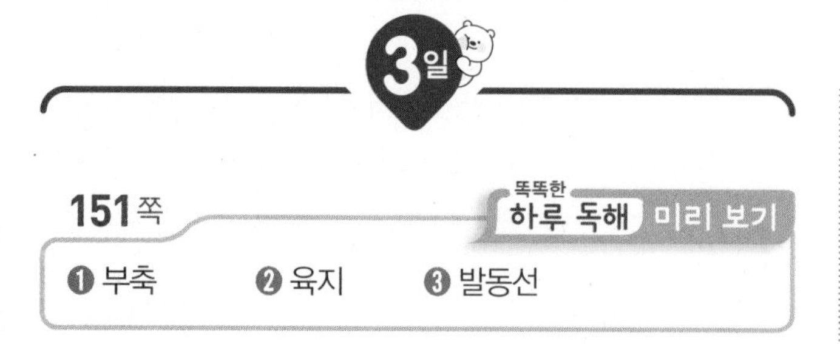

3일

151쪽 똑똑한 하루 독해 미리 보기

❶ 부축　❷ 육지　❸ 발동선

152쪽~153쪽 똑똑한 하루 독해

1 (1) ○　2 어쩌자고 깊은 물에 들어갔느냐 등
3 ②　4 ❶ 할아버지 ❷ 소라고둥

1 순금이가 겨우 눈을 뜨고 힘없는 소리로 말하는 부분에서 순금이는 소라고둥을 따서 영욱이에게 주려고 했다는 것을 알 수 있습니다.

2 '어쩌자고 깊은 물에 들어갔느냐 말이다.'에는 순금이를 걱정하는 할아버지의 마음이 담겨 있습니다.

채점 기준
'어쩌려고 깊은 물에 들어갔느냐'라는 내용을 넣어 바르게 썼으면 정답으로 합니다.

3 박 선생의 말에서 순금이의 눈을 고치기 위해 순금이를 육지 병원으로 데리고 갈 것임을 알 수 있습니다. 따라서 ①은 영욱이가 보낸 이메일 편지 내용으로 알맞습니다.

왜 틀렸을까?
②: 순금이가 소라고둥을 따서 영욱이에게 주려고 한 것은 맞지만, 영욱이가 부탁한 내용이라고 볼 수 없습니다. 박 선생의 말에서 영욱이가 보낸 이메일 편지에는 순금이가 소라고둥을 가져올 수 있게 도와 달라는 내용이 없다는 것을 알 수 있습니다.

4 이 글을 연극으로 공연하기 위해 필요한 등장인물과 무대 배경, 소품 등을 정리해 봅니다. 이 글에는 박 선생과 할아버지 그리고 순금이와 철호, 수남이 등이 등장합니다. 그리고 이 글은 육지에 가려면 배를 타야 하는 등대섬을 배경으로 하고 있습니다. 따라서 연극 무대를 꾸밀 때 섬마을의 모습을 표현해야 합니다. 그리고 순금이가 영욱이에게 주려고 딴 소라고둥을 소품으로 준비해야 합니다.

154쪽 똑똑한 하루 독해 어휘

1 (1) 껴안아　(2) 가까스로　(3) 장만
2 (1) ①　(2) ③　(3) ②

1 (1) '두 팔로 꼭 끌어안아.'라는 뜻의 '부둥켜안아'와 비슷한 뜻을 가진 낱말은 '껴안아'입니다.
(2) '어렵게 힘들여.'라는 뜻의 '겨우'와 비슷한 뜻을 가진 낱말은 '가까스로'입니다.
(3) '헤아려서 갖춤.'이라는 뜻의 '마련'과 비슷한 뜻을 가진 낱말은 '장만'입니다.

2 (1) '어떤 사람이 말하는 사람 혹은 기준이 되는 사람이 있는 쪽으로 움직여 위치를 옮기다.'라는 뜻을 가진 '오다'의 반대말은 '가다'입니다.
(2) '밖에서 안으로 향하여 가다.'라는 뜻을 가진 '들어가다'의 반대말은 '나오다'입니다.
(3) '사람이나 사물 따위를 알거나 이해하지 못하다.'라는 뜻을 가진 '모르다'의 반대말은 '알다'입니다.

155쪽 똑똑한 하루 독해 게임

● 인형에 빛을 비추어 생기는 그림자로 공연하는 그림자극, 마당에서 공연을 하는 마당극, 인형에 줄을 매달아 공연하는 인형극, 가면을 쓰고 공연하는 가면극을 찾아 사다리 타기 놀이를 해 봅니다.

4일

157쪽 똑똑한 하루 독해 미리 보기

1 교역　2 부패　3 흉년

158쪽~159쪽 똑똑한 하루 독해

1 (1) ○
2 (1) 관리들은 부패했고 등 (2) 흉년과 늘어난 세금 등
3 ①, ②, ③　4 ❶ 오랑캐 ❷ 척화비

1 ㉠은 '정치, 사상, 의식 따위가 잘못된 길로 빠짐.'을 뜻하는 말입니다. ㉠과 비슷한 뜻을 가진 낱말은 '올바른 길에서 벗어나 잘못된 길로 빠지는 일.'이라는 뜻의 '타락'입니다.

왜 틀렸을까?
(2): '성공'은 '목적하는 바를 이룸.'이라는 뜻입니다.
(3): '기대'는 '어떤 일이 원하는 대로 이루어지기를 바라면서 기다림.'이라는 뜻입니다.

2 첫 번째 문단에서 조선은 오랫동안 이루어진 안동 김씨의 지배로 인해 부패했고, 농민들은 흉년과 늘어난 세금 때문에 힘들어했다고 하였습니다. 이로 인해 당시 조선은 정치·사회적으로 많이 힘든 상황이었음을 알 수 있습니다.

채점 기준
'관리들이 부패했고'와 '흉년과 늘어난 세금'이라는 두 가지 내용이 모두 들어가게 썼으면 정답으로 합니다.

3 이 글에서 서양 사람들이 조선인을 무시하고, 문화재를 빼앗아 갔으며, 흥선 대원군의 아버지인 남연군의 묘까지 파헤쳤다고 하였습니다.

왜 틀렸을까?
④: 조선에 척화비를 세운 사람은 흥선 대원군입니다. 흥선 대원군은 야만스러운 행동을 한 서양 오랑캐와 교역하지 않겠다는 뜻을 담아 척화비를 세웠습니다.

4 흥선 대원군은 야만스러운 오랑캐들이 하는 것과 다를 바 없는 행동을 한 서양 오랑캐들과 교역하지 말고 맞서 싸워야 한다는 생각을 담아 척화비를 세웠습니다.

160쪽 똑똑한 하루 독해 어휘

1 침범, 침략　2 (1) ○ (3) ○

1 '침범하여 들어가거나 들어옴.'이라는 뜻의 '침입'과 비슷한 뜻을 가진 낱말은 '침범', '침략'입니다.

2 문화재는 역사적, 예술적, 문화적으로 보호해야 할 만한 가치가 있는 것을 말합니다. 불국사 다보탑과 숭례문은 보호해야 할 가치가 있는 것이지만, 장난감 로봇은 문화재라고 볼 수 없습니다.

더 알아보기
문화재의 중요성
조상들이 남긴 것 중에서 역사적, 문화적, 예술적으로 가치가 높은 것을 문화재라고 합니다. 문화재가 언제, 어떤 이유로 만들어졌는지 살펴보면 그 당시의 생활 모습과 조상들의 지혜를 배울 수 있습니다. 문화재는 우리나라의 역사를 이해하는 데 중요한 자료가 되기 때문에 '문화재 보호법'을 만들어 보호하고 있습니다.

161쪽 똑똑한 하루 독해 게임

조선을 공격한 미국의 (1) (배 , 나라)를 불태운 사건을 제너럴셔먼호 사건이라고 하고, 이 일로 미국이 (2) (강화도 , 제주도)를 공격한 사건을 신미양요라고 해요. 흥선 대원군은 신미양요 이후에 서양과 교역을 하지 않겠다는 뜻을 널리 알리기 위해 전국에 척화비를 세웠어요.

● 미국의 배가 조선에 와서 교역을 요구했는데, 조선이 거절하자 공격을 하였습니다. 이에 분노한 조선인들은 미국의 배를 불태웠는데, 배의 이름을 따서 이 사건을 제너럴셔먼호 사건이라고 하였습니다. 몇 년 뒤 이 사실을 알게 된 미국에서 많은 군사를 끌고 와서 강화도를 공격했는데 조선은 미국인들을 어렵게 물리쳤습니다. 이후 흥선 대원군은 조선을 공격한 서양 세력과 교역하지 않겠다는 뜻을 담아 전국에 척화비를 세웠습니다.

4주 정답 및 해설

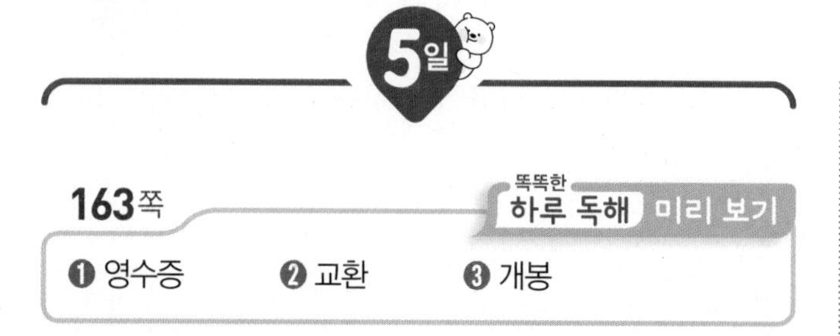

5일

163쪽 똑똑한 하루 독해 미리 보기

❶ 영수증 ❷ 교환 ❸ 개봉

164쪽~165쪽 똑똑한 하루 독해

1 (1) ○ (2) ○
2 (1) ○ (2) ○
3 (1) 포장을 개봉한 등 (2) 불가능 등
4 ❶ 불량 ❷ 영수증

1 영수증이 있어야 교환이나 환불이 가능하며, 동일한 제품으로만 교환이 가능하다고 하였습니다.

2 구매일로부터 7일 이내의 제품은 교환이나 환불이 가능하다고 하였습니다. 따라서 8월 4일과 8월 7일은 환불이 가능하지만, 8월 13일은 구매일로부터 7일이 넘었기 때문에 환불이 불가능합니다.

3 안내문에서 제품의 포장을 개봉한 경우 교환이나 환불이 불가능하다고 하였습니다.

채점 기준
'포장을 개봉한'과 '불가능'이라는 두 가지 내용을 모두 넣어 썼으면 정답으로 합니다.

4 안내문에서 제품이 불량인 경우나 구매일로부터 7일 이내의 제품은 교환이나 환불이 가능하다고 하였습니다. 하지만 영수증이 있어도 교환이나 환불이 불가능한 경우가 있으니 제품을 구매한 곳의 교환·환불 안내문을 확인해야 합니다.

166쪽 똑똑한 하루 독해 어휘

1 (1) 불균형 (2) 불완전 2 부주의

1 (1) 좋아하는 반찬만 골라 먹어서 영양소를 균형 있게 얻을 수 없는 상황을 보여 주는 그림으로, 정답은 '불균형'입니다.
(2) 새로 산 로봇의 팔이 고장 나서 완전하지 않은 모습을 보여 주는 그림으로, 정답은 '불완전'입니다.

2 야구공을 가지고 놀다가 실수로 화분을 깨뜨렸다는 것을 알 수 있습니다. 따라서 '조심을 하지 않음.'을 뜻하는 '부주의'가 들어가는 것이 알맞습니다.

167쪽 똑똑한 하루 독해 게임

❶ 싱싱마트 ❷ 4(네) ❸ 김밥 ❹ (학생용) 가방
❺ 93,200

❶ 영수증에 적힌 판매 일시를 보면 단서를 찾을 수 있습니다. 천재서점에서 오후 2시 38분, 싱싱마트에서 오후 3시 50분에 결제를 했으므로 천재서점에 들렀다가 싱싱마트로 갔다는 것을 알 수 있습니다.
❷ 천재서점 영수증에 똑똑한 하루 독해 2권, 우등생 해법 수학 1권, 지식 탐험 스티커북 1권이 적혀 있으므로 총 4권의 책을 샀다는 것을 알 수 있습니다.
❸ 싱싱마트 영수증을 보면 김밥용 김, 김밥용 단무지, 김밥용 햄을 산 것으로 보아 김밥을 만들 재료를 샀다는 것을 알 수 있습니다.
❹ 싱싱마트 영수증을 보면 구매한 상품 중 가장 비싼 것은 30,000원짜리 학생용 가방이라는 것을 알 수 있습니다.
❺ 천재서점에서 42,000원을 결제했고 싱싱마트에서 51,200원을 결제했으므로 두 값의 합인 총 93,200원을 결제했다는 것을 알 수 있습니다.

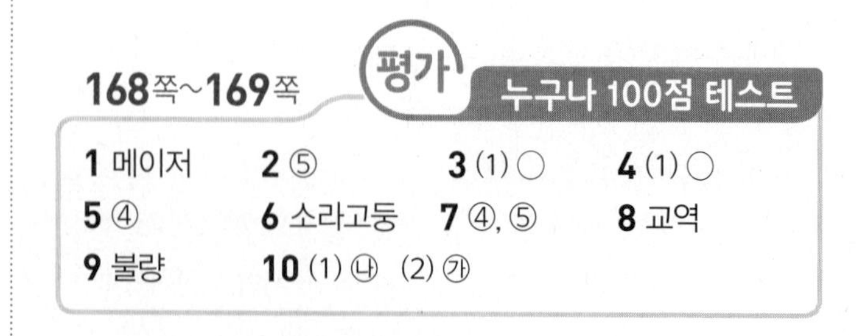

168쪽~169쪽 평가 누구나 100점 테스트

1 메이저 2 ⑤ 3 (1) ○ 4 (1) ○
5 ④ 6 소라고둥 7 ④, ⑤ 8 교역
9 불량 10 (1) ㉯ (2) ㉮

1 글 ㈎의 처음 부분에서 '가장 인자하고 현명한 돼지인 메이저 영감이 그 연단 위로 올라갔다.'라고 하였습니다.

2 메이저 영감은 인간이 동물들을 평생 고생만 시키다가 도축장에 끌고 가 죽게 한다고 했습니다.

3 '비참한'은 '더할 수 없이 슬프고 끔찍한.'의 뜻을 지닌 낱말입니다.

왜 틀렸을까?

(2)의 '어질고 슬기로워 사리에 밝은.'은 '지혜'의 뜻이고, (3)의 '연설이나 강연을 하는 사람이 올라서는 단.'은 '연단'의 뜻입니다.

4 1종 지레는 받침점이 가운데 있다고 했으므로, 1종 지레의 원리를 나타낸 그림은 (1)입니다.

왜 틀렸을까?

(2)는 받침점과 힘점 사이에 작용점이 있는 2종 지레의 원리를 나타낸 그림입니다.

5 '가위, 시소, 저울'은 1종 지레의 원리, '병따개, 손수레'는 2종 지레의 원리, '젓가락, 핀셋, 족집게'는 3종 지레의 원리를 이용한 도구입니다.

6 순금이의 대사에서 '이 소라고둥 영욱이 주려고 맀는데…….'라는 말이 나오기 때문에 이 희곡으로 연극 공연을 할 때에는 반드시 소라고둥을 소품으로 준비해야 합니다.

7 흥선 대원군이 살았던 시대는 조선 후기로, 이 시기에 우리 조선은 정치·사회적으로 많이 힘든 상태였고, 서양의 배가 조선에 와서 교역을 요구해 왔다고 하였습니다.

8 흥선 대원군이 세운 척화비에는 조선인들을 무시하고 문화재를 빼앗으며, 남연군의 묘까지 파헤친 서양 오랑캐들과는 절대로 교역을 하지 않겠다는 의지가 담겨 있습니다.

9 '불량'은 '물건 따위의 품질이나 상태가 나쁨.'을 뜻하는 낱말입니다.

10 빈칸에 들어갈 사진은 모두 교환이나 환불이 불가능한 경우로, ㉠에는 제품을 개봉한 사진 즉 제품의 포장을 뜯거나 열어 놓은 사진이 들어가야 합니다. ㉡에는 제품이 파손된 사진 즉 제품이 깨져서 못 쓰게 된 사진이 들어가야 합니다.

170쪽~175쪽

1 ❶ 연설 ❷ 환불 ❸ 작용
2 오랑캐, 화해
3 29,800
4 (1) 말리면 (2) 빠지 (3) 더럽게

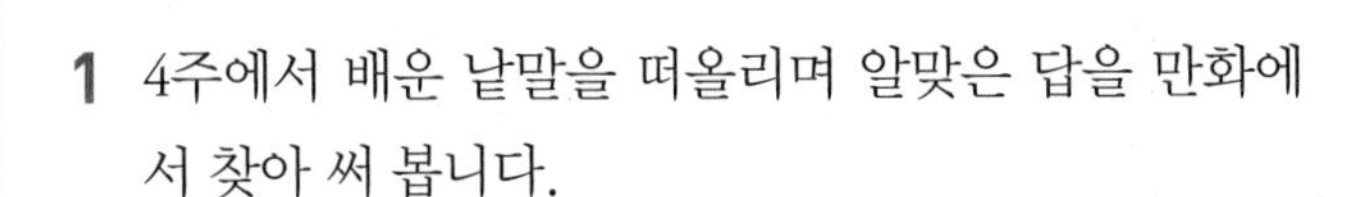
5 (1) ① 작 품 ② 부 작 용

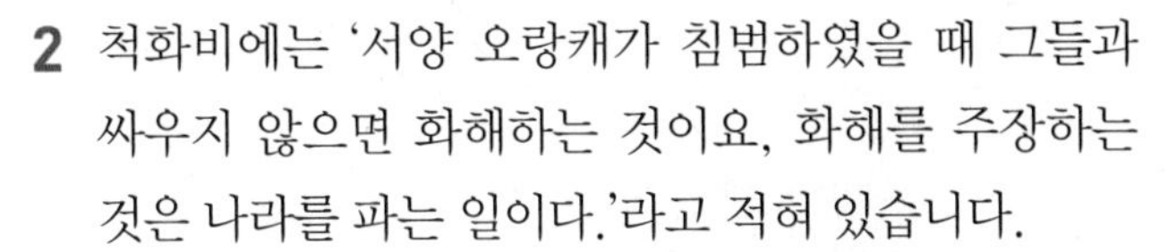
(2) 作 心 三 日

1 4주에서 배운 낱말을 떠올리며 알맞은 답을 만화에서 찾아 써 봅니다.

2 척화비에는 '서양 오랑캐가 침범하였을 때 그들과 싸우지 않으면 화해하는 것이요, 화해를 주장하는 것은 나라를 파는 일이다.'라고 적혀 있습니다.

3 영우는 딸기 2개, 샴푸 1개를 환불받아야 하므로 이에 해당하는 돈은 29,800원입니다.

4 '기계 건조'는 하지 말라고 하였으므로 기계를 사용하여 옷을 말리면 안 되고, '세탁 시 부주의로 탈색이나 오염이 될 수 있다'고 하였으므로 세탁할 때 옷의 색이 빠지거나 더러워지지 않게 조심합니다.

5 (1) ① 작품(作品): 예술 창작 활동으로 얻어지는 제작물.
② 부작용(副作用): 약이 지닌 그 본래의 작용 이외에 부수적으로 일어나는 작용. 대개 좋지 않은 경우를 이른다.
(2) 빈칸에 作(지을 작) 자를 적어 '단단히 먹은 마음이 사흘을 가지 못한다는 뜻으로, 결심이 굳지 못함을 이르는 말.'이라는 뜻의 '작심삼일(作心三日)'을 완성합니다.

memo

정답은
이안에
있어!

배움으로 행복한 내일을 꿈꾸는

천재교육 커뮤니티 안내

• • •

교재 안내부터 구매까지 한 번에!

천재교육 홈페이지

자사가 발행하는 참고서, 교과서에 대한 소개는 물론
도서 구매도 할 수 있습니다. 회원에게 지급되는 별을 모아
다양한 상품 응모에도 도전해 보세요!

다양한 교육 꿀팁에 깜짝 이벤트는 덤!

천재교육 인스타그램

천재교육의 새롭고 중요한 소식을 가장 먼저 접하고 싶다면?
천재교육 인스타그램 팔로우가 필수!
깜짝 이벤트도 수시로 진행되니 놓치지 마세요!

수업이 편리해지는

천재교육 ACA 사이트

오직 선생님만을 위한, 천재교육 모든 교재에 대한 정보가 담긴
아카 사이트에서는 다양한 수업자료 및 부가 자료는 물론
시험 출제에 필요한 문제도 다운로드하실 수 있습니다.

https://aca.chunjae.co.kr

천재교육을 사랑하는 샘들의 모임

천사샘

학원 강사, 공부방 선생님이시라면 누구나 가입할 수 있는 천사샘!
교재 개발 및 평가를 통해 교재 검토진으로 참여할 수 있는 기회는 물론
다양한 교사용 교재 증정 이벤트가 선생님을 기다립니다.

아이와 함께 성장하는 학부모들의 모임공간

튠맘 학습연구소

튠맘 학습연구소는 초·중등 학부모를 대상으로 다양한 이벤트와 함께
교재 리뷰 및 학습 정보를 제공하는 네이버 카페입니다.
초등학생, 중학생 자녀를 둔 학부모님이라면 튠맘 학습연구소로 오세요!